中华人民共和国国家标准

太阳能电池生产设备安装工程施工及质量验收规范

Code for construction and quality acceptance of solar cell manufacturing equipment installation engineering

GB 51206 - 2016

主编部门：中华人民共和国工业和信息化部
批准部门：中华人民共和国住房和城乡建设部
施行日期：2017年7月1日

中国计划出版社

2016 北 京

中华人民共和国国家标准
太阳能电池生产设备安装工程施工
及质量验收规范
GB 51206-2016
☆
中国计划出版社出版发行
网址：www.jhpress.com
地址：北京市西城区木樨地北里甲11号国宏大厦C座3层
邮政编码：100038 电话：(010) 63906433（发行部）
北京市科星印刷有限责任公司印刷

850mm×1168mm 1/32 2.5印张 61千字
2017年5月第1版 2017年5月第1次印刷
☆
统一书号：155182·0052
定价：15.00元

中华人民共和国住房和城乡建设部公告

第1346号

住房城乡建设部关于发布国家标准《太阳能电池生产设备安装工程施工及质量验收规范》的公告

现批准《太阳能电池生产设备安装工程施工及质量验收规范》为国家标准,编号为GB 51206—2016,自2017年7月1日起实施。其中,第4.1.7、4.6.14(5、6、7)条(款)为强制性条文,必须严格执行。

本规范由我部标准定额研究所组织中国计划出版社出版发行。

中华人民共和国住房和城乡建设部

2016年10月25日

前 言

本规范是根据住房城乡建设部《关于印发〈2011年工程建设标准规范制订、修订计划〉的通知》(建标〔2011〕17号)的要求,由工业和信息化部电子工业标准化研究院电子工程标准定额站、中国电子系统工程第四建设有限公司会同有关单位共同编制完成。

本规范在编制过程中,编制组走访了国内有关太阳能电池生产设备的研发和生产单位,收集了有关太阳能生产设备的搬运、运输、安装、调试和工程验收要求,在总结国内实践经验、吸收近年来的科研成果、借鉴国外符合我国国情的先进经验的基础上,广泛征求了国内有关设计、生产、研究等单位的意见,最后经审查定稿。

本规范共分6章和4个附录,主要技术内容包括:总则、术语和缩略语、基本规定、安装工程施工、设备试运行、工程验收等。

本规范中以黑体字标志的条文为强制性条文,必须严格执行。

本规范由住房城乡建设部负责管理和对强制性条文的解释,由工业和信息化部负责日常管理,由中国电子系统工程第四建设有限公司负责具体技术内容的解释。本规范在执行过程中,如发现需要修改和补充之处,请将意见和有关资料寄至中国电子系统工程第四建设有限公司《太阳能电池生产设备安装工程施工及质量验收规范》管理组(地址:北京市丰台区南四环西路188号;邮政编码:100070,zgb@cefoc.cn),以供今后修订时参考。

本规范主编单位、参编单位、主要起草人和主要审查人:

主 编 单 位:工业和信息化部电子工业标准化研究院电子工程标准定额站

中国电子系统工程第四建设有限公司

参 编 单 位:信息产业电子第十一设计研究院科技工程股份有限公司
中国电子科技集团公司第二研究所
北京七星华创电子股份有限公司
北京北方微电子基地设备工艺研究中心有限责任公司

主要起草人:万铜良　杜宝强　薛长立　刘谦辉　丁长勇
李华新　郑秉孝　朱纮文　晁宇晴　冯卫中
郑友山　李晓东　石小琰　邓　俊　马国君
程　航　穆文涛　邵　森　吕广浩　许　卫
赵　罡　王云静　董学鑫

主要审查人:周启彤　张利群　王元光　王开源　黄群骥
蔡先武　崔永祥　王　建　张　凯

目　　次

Contents

1 总　　则

1.0.1　为规范太阳能电池生产设备安装工程施工及质量验收，促进太阳能电池生产设备安装质量和可靠运行，符合节能环保要求，制定本规范。

1.0.2　本规范适用于新建、改建和扩建的太阳能电池工厂生产设备安装工程及质量验收。

1.0.3　太阳能电池生产设备安装工程施工及质量验收除应符合本规范外，尚应符合国家现行有关标准的规定。

2 术语和缩略语

2.1 术 语

2.1.1 太阳能电池 solarcell

是指将太阳光能直接转换成电能的器件。

2.1.2 单晶硅太阳能电池 monocrystalline silicon solar cell

是以单晶硅为基体材料的太阳能电池。

2.1.3 多晶硅太阳能电池 polycrystalline silicon solar cell

是以多晶硅为基体材料的太阳能电池。

2.1.4 非晶硅太阳能电池 amorphous silicon solar cell

用非晶硅材料及其合金为基体制造的太阳能电池，亦称无定形硅太阳能电池，简称 a-si 太阳能电池。

2.1.5 非晶硅薄膜电池 amorphous silicon thin film solar cell

以玻璃、不锈钢板、陶瓷板等为基板，以非晶硅化合物薄膜为基体材料的太阳能电池。

2.1.6 化学气相沉积 chemical vapor deposition(CVD)

本规范系指在常压下，化合物分解沉积为薄膜的制作薄膜太阳能电池的工艺。

2.1.7 低压化学气相沉淀 low pressure chemical vapor deposition(LPCVD)

本规范系指采用在低压时，气相化合物分解沉积成薄膜的制作薄膜太阳能电池的工艺。

2.1.8 等离子体化学气相沉积 plasma chemical vapor deposition(PCVD)

本规范系指将气相化合物等离子体分解沉积成薄膜的制作薄膜太阳能电池的工艺。

2.1.9 等离子体增强型化学气相沉积 plasma enhanced chemical vapor deposition(PECVD)

本规范系指利用等离子体特性来控制或影响气相反应和材料表面的化学反应过程,并在规定的温度(最高至900℃)下沉积薄膜的工艺。

2.1.10 聚乙烯醇缩丁醛 polyvinyl butyral(PVB)

由聚乙烯醇缩丁醛树脂经增塑剂塑化挤压成型的高分子半透明的薄膜材料。对无机玻璃有很好的黏结力。

2.1.11 载板 carrier

在太阳能电池的工艺设备中,用于传输硅片、承载硅片的运输载体。

2.1.12 质量流量控制器 mass flow controller(MFC)

用于对气体的质量流量进行精密测量和控制的仪器。

2.1.13 晶体硅太阳能电池生产设备 crystalline silicon solar cell production equipment

用来生产硅太阳能电池的工艺设备,包括槽式制绒清洗机、在线式制绒机、扩散炉设备、PECVD设备、丝网印刷机、烧结炉等设备。

2.1.14 二次配管配线 hook-up

生产厂房中一次管线系统至生产设备接口之间的连接管线。

2.1.15 大宗气体 bulk gas

对电子工厂中使用的氮气、氢气、氧气、氩气的统称。

2.1.16 特种气体 specialty gas

电子行业生产的掺杂、外延、离子注入、刻蚀等工艺中使用的具有自燃性、可燃性、毒性、腐蚀性、氧化性、惰性等特殊的气体。

2.1.17 制绒 texturing

在单晶硅片表面通过一定的加工手段得到一定形状的绒面结构的工艺,以增加光线在电池表面的反射折射次数,降低表面反射率。

2.1.18 丝网印刷 electrodes printing

利用感光材料通过照相制版印刷制作电池正负极的工艺。

2.2 缩 略 语

PVC(Polyvinyl chloride) 聚氯乙烯

CLPVC(Clean polyvinyl chloride) 洁净聚氯乙烯

PFA(Polytetrafluoro ethylene) 四氟乙烯共聚物

PP(Polyprolene) 聚丙烯

PVDF(Polyvinylidene fluoride) 聚偏氟乙烯

VMB(Valve manifold box) 阀门分配箱

EP(Electro polished) 电抛光

BA(Bright annealed) 光亮退火

AP(Annealed and pickled) 酸洗钝化

3 基本规定

3.0.1 太阳能电池生产设备安装之前应制定详细的安全和质量控制预案。

3.0.2 设备安装应按经批准的技术文件就位，修改有关技术文件应有相应单位的批准。

3.0.3 设备就位使用的搬运设备和工具应完好、可靠、安全，使用前应进行检查、认可。

3.0.4 生产设备安装工程的作业人员应经相应工种培训。

3.0.5 特殊工种应取得相应的上岗证。

3.0.6 设备安装环境应满足设计文件、设备使用说明书的相关要求。

3.0.7 设备单机调试及试运转应在设备安装和二次配管配线安装完成，并经自检合格后进行。

3.0.8 太阳能电池的生产宜按照本规范附录A的工艺流程组织。典型国产太阳能电池生产设备单机试运转及验收宜按本规范附录B的要求进行。

3.0.9 用于检测的计量器具和仪器、设备应检定合格或校准认可，并应在检定或校准有效期内。

4 安装工程施工

4.1 安装前设备材料的储存

4.1.1 生产设备宜放置于仓库中储存，储存环境应满足设备存放要求，并应便于搬运。

4.1.2 临时存放在室外的生产设备应做好防潮、防雨、防冻措施。

4.1.3 有特殊存放要求的生产设备，应按产品说明书的要求进行储存。

4.1.4 设备储存应有专人管理、建立岗位责任制。

4.1.5 进场的生产设备应及时登记，建立台账。生产设备应标明设备的名称、规格型号、入库日期等信息。

4.1.6 现场材料保管应有专人负责。现场材料存放环境应防火、防雨、防潮。

4.1.7 对于易燃、易爆、有毒、有害危险化学品，应按属性分别设专门库房存放，专门库房应符合下列规定：

1 库房地面材质应防渗漏，并应设置围堰或事故收集装置，易燃、易爆品库房地面应采用不发火处理；

2 库房应保持通风，并应设置事故排风装置；

3 易燃、易爆品库房应设置泄爆墙。

4.2 施工准备

4.2.1 施工前，应按本规范附录C的要求制定具体的施工方案，并应提交监理或建设单位批准。

4.2.2 施工前，应制定洁净室管理制度，并应提交监理或建设单位备案。

4.2.3 进入现场的运输机械应质量可靠、状况良好，特种设备应履行报检程序。

4.2.4 安装工程施工单位应按质量保证书或产品合格证对材料进行验收，并应做好记录，办理验收手续；需要复检的材料应有取样送检证明报告，对质量不合格的材料不得在施工中使用。

4.2.5 进入洁净室的设备、材料应进行清洁处理，外表面不得有油污、积尘。

4.2.6 施工前厂房应符合下列规定：

1 厂房应通水、通电，具备动力供应条件；

2 洁净室的净化空调系统应呈空态，并应调试完毕、运行正常、达到所需洁净条件；

3 厂房内公用系统应调试完毕，正常运行；

4 消防系统应正常运行。

4.2.7 设备搬运应规划好搬运路线图，并应标注清楚路障、限高等注意事项。

4.3 设备搬运

4.3.1 设备搬运前应对设备进行检查和确认，检查后应做好设备出库记录。

4.3.2 在室外搬运设备时，道路应平坦、畅通；在整个搬运过程中，设备应平稳行进，不得有冲击现象。

4.3.3 设备搬运方法应根据设备厂家提供的说明和要求选择，并应符合现行行业标准《工程建设安装工程起重施工规范》HG 20201的有关规定。

4.3.4 起吊旋转过程中，起重臂、钢丝绳或设备与架空线缆安全距离应大于1.5m。

4.3.5 起吊有内包装的设备，应符合下列规定：

1 起吊使用的吊索应根据设备重量选用；

2 吊索捆绑位置应避开仪表及结构脆弱部位，并应防止设备倾斜跌落；

3 设备起吊高度宜能顺利拆除外包装底盘；

4 起吊时应控制提升和下降速度，不得产生冲击、碰撞现象；

5 用液压搬运车载运设备时，设备放置应平稳、平衡。

4.3.6 用叉车或汽车搬运设备时，全过程应平稳，不得载货急转，不得突然启动或停车；叉车应完全停止升降后再缓慢行进，设备距路面高度应不触及路面障碍。

4.3.7 手动液压车搬运设备时，应符合下列规定：

1 应根据设备的重量选用液压车；

2 液压车起步、停车应缓慢，行车速度应均匀，不得产生使设备倾斜的振动，两侧应有搬运人员全程扶持；

3 货物放置应牢靠、稳固；

4 不得超过规定的高度和宽度；

5 搬运时应当注意成品保护，尤其是地面和墙面，环氧(PVC)地面应当铺塑料薄膜和不锈钢板，经过伸缩缝的地方应铺厚不锈钢板；

6 搬运工具的轮子宜为软胶轮。

4.3.8 当搬运重大、精密设备时，宜采用平稳、可靠且省力的气垫搬运装置。搬运时操作人员应控制其行进速度，在起步、行进及停止时不得产生冲击振动现象。

4.3.9 对于有恒温恒湿要求的精密设备，应使用气垫搬运法及时搬入洁净室(区)。

4.3.10 对于有防微振要求的设备，宜采用气垫搬运法进行搬运。

4.3.11 设备从搬入平台经过搬入口、气闸室至洁净室(区)安装就位的过程，所经路线的墙壁、墙角、门框、地面应做好保护，保护的材料不应发尘、积尘。当搬运路线上地面承载能力不足时，应做好加固工作，加固材料应符合洁净室内的使用要求；当需拆除门框或墙板时，拆除后应做好保护并应及时恢复。

4.3.12 当在活动地板上吊装设备时，宜采用龙门架、手动葫芦等起重装置，龙门架支脚应设置荷重分散板，并应核对活动地板的承载能力，当不能满足起吊荷载时应进行加固，并应编制吊装技术方案。

4.3.13 洁净室室内外设备搬运人员不应交叉作业，在洁净室里面设立缓冲区，缓冲区地面应用不锈钢板保护，设备的反光保护膜包装可在洁净室外拆除，但保护膜应在缓冲区或者洁净室内拆除。

4.4 设备开箱

4.4.1 设备开箱时，建设单位、设备供应商、监理单位、施工单位均应参加，并由采购方负责。开箱检查应包括下列内容：

1 箱号、装箱清单；

2 设备的名称、规格型号；

3 设备的技术文件；

4 设备的随机附件、专有工具。

4.4.2 设备开箱前应检查包装箱外观是否完好，有无破损、浸水现象。

4.4.3 有防震贴、防倾贴等运输智能标贴的包装箱，开箱前标贴显示应正常。

4.4.4 设备箱体不得倒置；有防震、防倾斜要求的，应采取避免倾斜的措施。

4.4.5 设备开箱宜在卸货平台进行，不得在运输工具上开箱。

4.4.6 设备开箱宜按照从顶板开始，再拆除四面箱板，保留设备箱底的顺序。

4.4.7 设备零部件开箱宜按照先拆除箱盖，进行零部件清点，然后将零部件放回箱内保存的顺序。

4.4.8 设备零部件堆放应按照安装先后顺序，先安装的放在外面或上面，后安装的放在里面或下面。

4.4.9 设备开箱应采用专用开箱工具。

4.4.10 设备的外壳不应有碰伤、变形、机械损坏、油漆剥落、锈蚀等现象。

4.4.11 设备开箱检验应填写验收单，做好记录，并办理验收手续。参加人员应签字，对不符合要求、质量不合格的设备材料应办理相关手续。

4.4.12 设备包装材料应做好回收处理；进口设备的木质包装材料确认经过检疫部门检疫手续后方可处理。

4.5 设备安装

4.5.1 设备安装前应先对设备进行定位放线，并应符合下列规定：

1 应根据工程设计图纸在地板上放出设备定位的尺寸平面轮廓线，划出记号；

2 在设备轮廓转角处应贴上醒目的L形彩色粘胶带；

3 设备不得跨越建筑结构抗震缝、伸缩缝及沉降缝放置并安装。

4.5.2 设备定位的基准面、线或点对安装基准线的平面位置允许偏差，应符合下列规定：

1 与其他设备无机械联系的设备为±10mm；

2 与其他设备有机械联系的设备为±2mm；

3 成排同型号、同规格的设备，其操作面应在同一直线上，安装偏差不应大于3mm。

4.5.3 对于设备需独立基础的，独立基础的材料为金属框架时，应用碳钢镀锌材料或不锈钢材料制作，外露表面应平整，上平面不平度不应大于2mm。

4.5.4 安装独立基础时，应符合下列规定：

1 拆除基础范围内的活动地板及支承结构时，影响承重的支承应做好加固；

2 独立基础施工完成后应补全基础周围的活动地板，基础边沿与活动地板之间的间隙宜小于10mm，并宜采用柔性胶条嵌缝；

3 独立基础安装水平误差不应大于2‰，最大不超过3mm；

4　基础上平面应与活动地板的地坪面平齐，允许误差为0～3mm。

4.5.5　设备找正、调平的水平度或垂直度应符合设备技术文件的要求；设备找正调平的基准面、基准线或基准点确定后，设备找正、调平应在选定的测量位置上进行测量，复查、检验时不得改变原测量的基准位置。

4.5.6　设备的安装、组装应符合下列规定：

1　设备安装应牢固、可靠；

2　设备试运行中不得出现紧固件松动或磨损；

3　设备试运行中不得出现部件或零件的脱离；

4　合理选择紧固件，所用紧固件的种类应减少；

5　选用的紧固件应符合国家标准和设计文件、设备说明书的要求，并采用抗腐蚀处理；

6　沉头螺钉安装后不允许突出被连接件表面。

4.5.7　在独立基础上或自流坪地面上安装需要固定的设备时，宜采用化学锚栓或二次灌浆固定。

4.5.8　在基础或地板上开孔时，应用吸尘设备吸尽孔内的尘埃。

4.5.9　当设备需跨越壁板安装时，应符合下列规定：

1　应根据设备安装所需的位置在壁板上开洞；

2　开洞作业不得划伤、污染需保留的壁板表面或对洁净环境造成污染；

3　设备安装后，四周间隙应采用微孔泡沫带密封，其材质和色泽应与该厂房内装修格调一致。

4.5.10　设备的接地系统安装应牢固、可靠。

4.5.11　设备安装时，应保护设备本体自带仪表、接口短管，并应避免碰撞、损伤。

4.6　二次配管配线

4.6.1　二次配管配线应包括下列管线安装：

1 各种给水、排水系统的一次管道阀门至设备接口之间的配管；

2 各种气体动力系统的一次管道阀门至设备接口之间的配管；

3 各种工艺排风、排气系统的一次管道阀门至设备接口之间的配管；

4 生产动力终端工艺母线或配电盘至设备接口之间的配管配线。

4.6.2 设备二次配管配线作业应在设备安装完成后进行，并应与设备供应商复核设备的接口位置、种类、数量、尺寸、型式等信息。

4.6.3 二次配管配线的材料宜与一次配管配线的材质一致，并应符合下列规定：

1 工艺冷却水应根据工艺设备水质要求选用，宜采用不锈钢管或 PVC 管，管配件及阀门宜采用与管道相同的材质；

2 管线与设备的连接方式应便于拆卸更换，对于易产生振动的设备应采用柔性连接等减少振动影响的连接方式；

3 工艺冷却水系统的温度计、压力表宜采用不锈钢材质；

4 压缩空气和氮气系统根据工艺生产线品质要求宜选用 SUS304 BA 或 SUS316L BA 管道，阀门宜选用球阀；其余大宗气体系统和特种气体系统宜采用 SUS316LEP 管道，阀门口径小于等于 1/2"时应采用 SUS316LEP 隔膜阀，阀门口径大于 1/2"时应采用波纹管截止阀；特种气体系统当采用双套管时，内管宜采用 SUS 316L EP 管道，外管宜采用 SUS304 AP 外抛管；

5 氧气管道、管件、垫片及其他附件都应脱脂，阀门、仪表应在制造厂已脱脂完毕；

6 化学药液输送宜采用双层管或 PP 管；双层管内管宜为 PFA 管，外管宜采用透明 PVC 管；阀门宜采用与管道材质相同的耐腐蚀隔膜阀和阀门箱设置方式，不宜直接设置阀门于管道上；

7 有机排风管宜采用 SUS304 不锈钢材料，使用氩弧焊连接；

8 酸碱排风管宜采用 PVC、PP 等防腐蚀材料焊接或熔接；

9 对耐蚀性、耐热性、强度有特殊要求的，宜采用不锈钢内衬特氟龙管道；

10 热排风介质温度大于 55℃时，应对管路设置绝热层，绝热材料不得采用易破碎、掉渣和对人体有刺激作用的材质；阀门应采用与排风管相同的材质；

11 纯水管路材质宜采用 PVDF、PP、PFA、CLPVC；

12 温度大于 80℃的酸碱排水不宜采用 PVC、PP 管道接管，可采用化工 PVC；采用 PP 管时不得直接排放；

13 含有高浓度氢氟酸、硝酸的排水管道，宜采用双层管道，内管宜为 PVDF 管或 PP 管，外管宜采用透明 PVC 管；

14 洁净室内的电气配管宜采用外表面光滑的金属管，与设备连接采用的穿线软管应为不燃材料；

15 特种气体、大宗气体、纯水和化学品系统的二次配管配线安装工程应符合现行国家标准《特种气体系统工程技术规范》GB 50646、《大宗气体纯化及输送系统工程技术规范》GB 50724、《电子工业纯水系统设计规范》GB 50685 和《电子工业化学品系统工程技术规范》GB 50781 的有关规定。

4.6.4 二次配管配线施工时，应根据现场实际情况进行空间整合优化设计，使管线排列整齐、美观，走向合理，维修方便，不得在操作面布设管线。

4.6.5 当在活动地板上开孔时，应符合现行国家标准《微电子生产设备安装工程施工及验收规范》GB 50467 的有关规定。

4.6.6 洁净室内的二次配管配线安装需开洞时，不得影响承重结构，且开洞时不得对洁净室造成污染。

4.6.7 二次配管应采用专用设备对管道进行平口、切割、焊接作业。

4.6.8 洁净室内不宜进行电焊作业，特殊情况应采取有效的防护措施；在保证及时防护、及时清理，不污染洁净室的情况下，宜优先使用氩弧焊进行焊接作业；输送大宗气体、非腐蚀性溶剂的不锈钢管，当采用焊接连接时，应采用钨极氩弧焊机施焊，且其保护气体的纯度不应低于管网本底气体的纯度。

4.6.9 不锈钢管焊接质量应符合下列规定：

1 两管端应垂直于管中心轴线，端面应平整光滑、无毛刺；

2 对口不得有间隙，直径小于或等于2英寸的不锈钢管，错边量不得大于管壁厚度的10%；直径大于2英寸的不锈钢管，错边量不得大于管壁厚度的15%；

3 焊接应为自熔全焊透焊缝，管内外焊缝平整光滑，焊波整齐美观。焊缝的凹凸不平度不得大于管壁厚度的10%；

4 焊缝应焊趾整齐，焊缝宽度应一致，其误差不得大于0.2mm，管内焊缝表面宽度宜为外缝表面宽度的60%；

5 管内、外焊缝表面不得有气孔、裂纹等缺陷，管内焊缝及热影响区不应有氧化变色。

4.6.10 PVC管粘接应符合下列规定：

1 应选用管材生产厂家配套的专用胶水和清洁剂；胶水与管材应相匹配，与使用说明一致；

2 室外温度低于5℃时，胶水应保存在室内；

3 粘接后管路两端应开放通风；

4 管路粘接后，胶水固化时间应符合说明书要求，达到设计强度方可进行通水试压。

4.6.11 高纯介质二次配管时，管道预制作业应在专门防尘、防静电的洁净小室内进行，加工件经洁净处理后密封搬入洁净厂房内进行安装，洁净小室的空气洁净度等级宜采用8级。

4.6.12 二次配管支、吊架安装应牢固可靠，并应符合下列规定：

1 二次配管支、吊架宜采用碳钢镀锌或不锈钢材料，切割断面应做防腐处理；

2 管卡应与管道直径相匹配；

3 不锈钢管与碳钢支架、管卡之间应分别设置隔离垫和隔离套管，隔离垫宜采用软质聚四氟乙烯板，套管宜采用聚乙烯软管。

4.6.13 二次配管标识应与一次配管配线标识一致。

4.6.14 二次配管进行压力试验时，应符合下列规定：

1 试验介质应采用高纯氮气或高纯氩气，其纯度不得低于管道工作介质纯度；

2 不得采用水压试验；

3 待试管道与生产设备无关系统应采用盲板或采取其他措施隔开，待试管道上的安全阀、爆破板及仪表元件应拆下或隔离；

4 试验用压力表宜采用专用管道压力测试记录仪，当采用普通压力表时，其精度不应低于1.5级；

5 介质为氢气、酸碱药液等具有危险性、腐蚀性的二次配管安装完成后必须进行压力试验；

6 压力试验应分为强度试验和气密性试验；强度试验应采用设计压力的1.15倍，保压30min无损坏、无泄漏为合格；气密性试验应采用设计压力的1.05倍，保压24h无压降、无泄漏为合格；

7 二次配管压力试验开始时应测量试验温度，试验温度严禁选择材料脆性转变的温度。

4.6.15 二次配管安装完成后，宜做泄漏试验。

4.6.16 二次配管试验完成后，应填写设备配管检验批质量验收记录。

4.6.17 当设计文件规定以氦气进行泄漏性试验时，应符合现行国家标准《无损检测氦泄漏检测方法》GB/T 15823的有关规定。

4.6.18 二次配管压力试验完成后，应脱开设备进行吹扫。吹扫气体的纯度不应低于管网输送介质的纯度。

5 设备试运行

5.1 设备试运行前的准备

5.1.1 设备试运行前应符合下列规定：

1 设备应安装完毕，自检合格；

2 设备所需各种气体动力配管配线应与设备接通，各种介质的各项参数应符合设备使用要求；

3 给水、排水、排气、排风管路应与设备接通；

4 电气线路应相位正确，接线端子连接牢固、可靠，器件应接线正确，无短路、断路现象；

5 电气装置应接地正确，连接牢固、可靠，接地电阻应符合设备要求；

6 房间洁净度、温湿度、照度、静电防护指标应测试合格；

7 室内各项安全设施和消防设施应满足使用要求。

5.1.2 设备安全性测试应符合下列规定：

1 当绝缘电阻测试时，应将绝缘电阻测试仪的正极端接至设备相线端，负极端接至设备机壳，电源输入端与机壳之间应施加500V直流电压，稳定10s后测试的绝缘电阻应大于1MΩ；

2 当耐压测试时，应将耐压测试仪的高压端接至设备相线端，接地端接至设备机壳进行耐压测试，设备抗电强度应符合现行国家标准《测量控制和试验室用电器设备的安全要求　第一部分：通用要求》GB 4793.1的有关规定；

3 当泄漏电流测试开路电压超过规定的安全限值时，应采用串接一个500Ω电阻的电流表与设备接地端子串联测量设备的泄漏电流，测试值不应大于5mA。

5.1.3 对于有噪声限制的设备，应进行噪声测试。噪声测试应采用声级计在设备水平面四个方向上，应在离地高度1.2m，距离设备1m处进行测量。在人员操作位置应以每天暴露时间8h计，其等效连续A声级噪声不应大于85dB。

5.2 设备试运行

5.2.1 外接电源及接地应按设备电路图接好，检查确认无误后接通总电源。

5.2.2 在开机状态下，用钳形电流表测量设备电压、电流和功率，用相序表测量相序，应满足设备使用的要求。

5.2.3 设备调试应按产品说明书或技术文件中规定的调试项目和步骤进行，并应按本规范附录D中表D.0.5的要求记录。

5.2.4 设备调试合格后，应连续通电无故障工作24h，并应按本规范附录D表中D.0.6的要求记录。

5.2.5 设备连续工作前后应进行主要性能指标测试，测试结果应符合产品规范的要求。

6 工程验收

6.1 一般规定

6.1.1 太阳能电池生产设备二次配管配线工程完成后，应对各系统进行自验，合格后方可进行验收。

6.1.2 设备安装施工单位应向建设单位提交工程质量验收记录，验收记录应按本规范附录D的有关要求填写。

6.2 验收内容

6.2.1 太阳能电池生产设备安装工程交接验收应由建设单位组织安装工程施工单位、设计单位组成验收组，并应在接到安装工程施工单位提交的验收报告后进行，验收报告应符合本规范附录D的有关要求。

6.2.2 验收应在设备找正、调平后进行设备安装交接验收，设备配管配线完成后应进行配管配线交接验收。

6.2.3 工程验收时，太阳能电池生产设备安装工程施工单位提交文件应包括下列内容：

1 设备安装工程施工合同；

2 主要材料合格证或质量保证书；

3 设备开箱检查记录；

4 设备安装检验批质量记录及分项工程质量验收记录；

5 设备配管配线检验批质量记录及分项工程质量验收记录；

6 管道焊接检验记录；

7 设备二次配管压力试验、冲(吹)洗记录；

8 竣工图及设计变更文件；

9 工程质量事故处理记录；

10 设备随机技术文件；

11 隐蔽工程验收记录。

6.2.4 太阳能电池生产设备安装工程质量主要控制项目应符合下列规定：

1 设备安装的平面坐标位置应符合设计要求。

检验方法：对照图纸用钢卷尺检查。

2 垫板安装位置应准确、接触应紧密、无松动现象。

检验方法：目测和用小榔头轻击垫板检查。

3 防位移、倾倒的压板设置方向应正确、紧固牢靠。

检验方法：对照设备安装使用说明书目测和用小榔头轻击压板检查。

4 特殊基础上平面水平度、安装水平度应符合设计和技术文件的要求，调整水平度的螺脚均应与垫板紧密接触。

检验方法：用水平尺和塞尺测量基础上平面不平度；用水平仪测量基础水平度，抽拉垫板检查接触紧密度。

5 设备安装的水平度、垂直度应符合设备安装使用说明书的要求。

检验方法：用水平仪测量。

6 二次配管的管材、管件、阀门应符合设计要求，并应有产品合格证和产品质量证明书。

检验方法：查看设计图纸、产品合格证和产品质量证明书。

7 管线布置和走向应符合设计要求。

检验方法：对照图纸检查。

8 管道的对接焊缝处及曲管处不得焊接支管；焊缝距起弯点、支吊架边缘应大于50mm。

检验方法：目测或用钢卷尺测量。

9 管道支吊架间距应符合设计或要求。

检验方法：观察或用钢卷尺测量。

10 二次配管压力试验应按本规范第4.6.14条的有关要求。

检测方法:查看记录。

11 二次配管冲(吹)洗应按本规范第4.6.18条的规定进行,用洁净白绸布检查,无污染物应为合格。

检测方法:查看记录。

12 二次配线的电线电缆规格、型号应符合图纸要求;绝缘、相序应符合设备技术文件,并应符合现行国家标准《建筑电气工程施工质量验收规范》GB/T 50303的有关规定。

检验方法:对照图纸检查,用相应电压等级的兆欧表检查。

13 接地连接应正确可靠,并应符合现行国家标准《电气装置安装工程接地装置施工及验收规范》GB 50169的有关规定。

检验方法:使用接地电阻测试仪检测。

6.2.5 太阳能电池生产设备安装工程质量应符合下列规定:

1 设备安装用的垫板表面应无尘无油。

检验方法:目测,并用白绸布擦拭检查。

2 设备跨壁板安装的密封应严密。

检验方法:目测,必要时进行夜间漏光检查。

3 有坡度要求的管道,其坡度应符合设计规定。

检验方法:拉线和尺量检查。

4 管材、附件和阀门用螺纹连接时,其螺纹应清洁规整、无断丝乱丝;镀锌件的镀锌层无锈斑;螺纹接口填料无外露。

检验方法:目测检查。

5 法兰连接应符合下列规定:

1) 对接同心平行、紧密,并应与管中心垂直;

2) 衬垫的材质符合设计要求,且不应超过一层;

3) 螺栓露出螺母的长度应一致,宜露出3个螺距。

检验方法:目测检查。

6 不锈钢管与碳钢支吊架、管卡之间的隔离不应遗漏。

检验方法:目视检查。

7 阀门安装应符合下列规定:

1)型号、规格应符合设计要求；

2)进出口方向应正确；

3)手轮朝向应合理。

检验方法：对照图纸检查型号、规格，观察检查安装的正确性。

6.2.6 验收组应对工程质量进行评价，提出验收结论。参加验收单位代表应在验收记录表上签字认可，验收记录表应按本规范附录D中表D.0.8的要求。

6.3 验收程序

6.3.1 太阳能电池生产设备安装工程竣工验收应由建设单位组织安装工程施工单位、设备供应商、设计单位组成验收组，根据施工合同、设计文件及设备技术文件进行竣工验收。

6.3.2 设备安装工程竣工验收时设备调试单位应提供每台设备的单机试运转记录。若设备安装与单机调试非同一单位时，设备安装单位应予以协助。

6.3.3 验收组应对太阳能电池生产设备安装工程的所有工程内容进行全面审核、检查，检查时应做好记录，各项指标应符合设计要求。

6.3.4 验收组应对工程质量进行评价，提出验收结论和验收报告，并应按本规范附录D中表D.0.9的要求。参加验收单位代表应在验收报告上签字确认。

6.3.5 太阳能电池生产设备安装工程验收合格，可进行试生产。

6.4 验收不合格的处置

6.4.1 当太阳能电池生产设备安装工程、设备二次配管配线安装工程不符合规定的质量要求时，处理应符合下列规定：

1 经返工后的设备安装检验批、二次配管配线检验批应重新进行验收。

2 经返修后的分项工程仍能满足安全和使用性能要求，可按技术处理方案和协商文件进行验收。

6.4.2 经过返修仍不能满足安全使用和性能要求的分项工程，不得验收通过。

附录 A　硅基太阳能电池生产基本工艺流程

A.0.1　晶硅太阳能电池生产可按下列工艺流程设置。

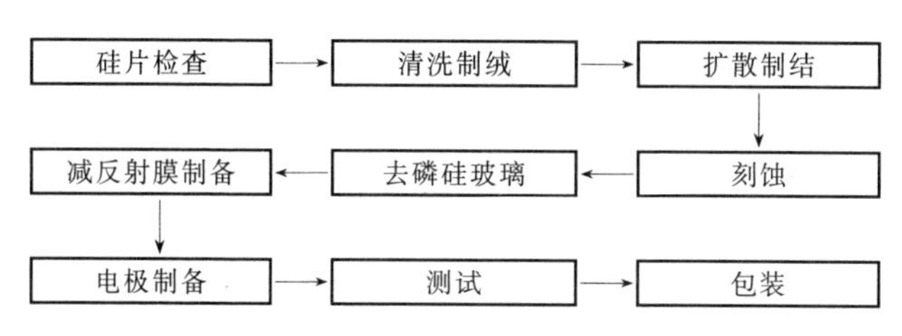

图 A.0.1　硅太阳能电池工艺流程

A.0.2　非晶硅薄膜电池生产可按下列工艺流程设置。

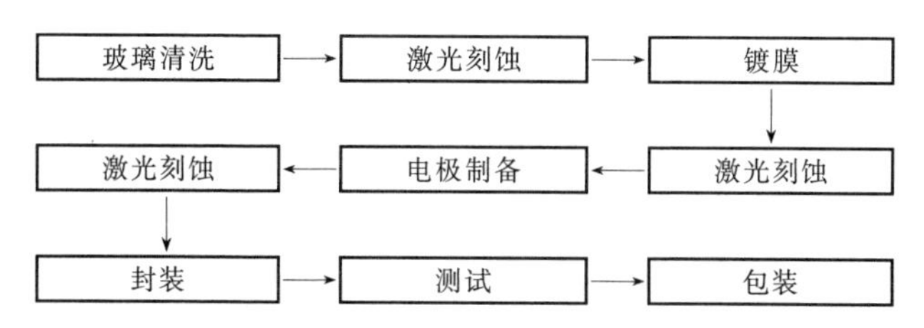

图 A.0.2　非晶硅薄膜电池生产工艺流程

附录B　典型太阳能电池生产设备单机试运转及验收要求

B.1　在线式表面制绒机

B.1.1　设备运转前应检查下列项目，并应在符合要求后进行单机试运转：

1　环境洁净度等级宜为7级，温度应为22.5℃±2.5℃，相对湿度应为40%～70%；

2　湿度传感器、室内温度传感器、风压传感器、空气传感器应避开气体放空口及出风口处；

3　接地电阻不应大于1Ω；

4　不间断三相交流电源电压应为380V±10%，频率应为50Hz；

5　冷却水压力应为0.3MPa～0.4MPa，循环流量应为$6m^3/h$～$7.5m^3/h$；

6　纯水电阻率不应小于18MΩ·cm，压力应为0.3MPa～0.4MPa，流量应为$1.7m^3/h$；

7　压缩空气压力应为0.5MPa～0.6MPa，流量应为$1.3m^3/min$；

8　排风风量不应小于$5400m^3/h$。

B.1.2　验收项目应符合下列规定：

1　设备的温度传感器、压力传感器、液体流量计工作应显示正常；

2　传动滚轮运转应平稳；

3　所有工艺槽温度应可调，温度允许偏差为±1℃；

4　设备破片率应小于0.2%；

5　药液注入量应可调，体积允许偏差为±1%。

B.2 槽式扩散前清洗设备

B.2.1 试运转前应检查下列项目，并应在符合要求后进行单机试运行：

1 环境洁净度等级应为6级，温度应为22.5℃±2.5℃，相对湿度应为40%～70%；

2 湿度传感器、室内温度传感器、风压传感器、空气传感器应避开气体放空口及出风口处；

3 接地电阻不应大于1Ω；

4 不间断三相交流电源电压应为380V±10%，频率应为50Hz，功率应为10kW；

5 去离子水压力应为0.2MPa～0.3MPa，流量应为60L/min；

6 压缩空气压力应为0.5MPa～0.6MPa，流量应为60L/min；

7 氮气压力应为0.5MPa～0.6MPa，流量应为80L/min；

8 排风量应为4000m^3/h。

B.2.2 验收项目应符合下列规定：

1 各工艺槽注药液时间、比例应符合工艺要求；

2 各工艺槽排放时间应符合工艺要求；

3 机械臂运行速度应符合工艺要求；

4 设备的水压力、气体压力、风压传感器、各光电传感器应显示正常；

5 各工艺槽槽盖及槽内液位应正常；

6 进料工位、工艺槽、气路系统、管路系统、传送机械手、控制系统应工作正常。

B.3 预 热 炉

B.3.1 试运转前检查应符合下列规定：

1 应检查烘烤物内是否有加压容器、爆裂物、易燃物、氧化物、发火物、易燃气体、粉尘等易燃易爆物品，当含有以上物品时应立即停止启动；

2 应检查烘烤物周围是否有易燃易爆物品，当有易燃易爆物品时应保证和烤箱保持大于 10m 的距离，否则不得将烤箱投入使用；

3 应确认风轮安装紧固且运转顺畅，不应和周围物体产生摩擦碰撞；

4 进气口和排气口应打开，排气口应接至室外，并应有强制性抽风装置；

5 应检查外部废气排风机是否正常运转，当没有运转或方向不对时则不得开机，并应进行检修。

B.3.2 验收项目应符合下列规定：

1 环境洁净度等级应为 9 级，环境温度应在 25℃±2℃之间，相对湿度应为(50±10)%；

2 三相交流电源电压应为 380V±10%，频率应为 50Hz，用电容量不应小于 43kW；

3 设备电气的绝缘电阻应大于 5MΩ；

4 排风管应采取保温措施，设备排风量不得小于 $7500m^3/h$。

B.4 扩散炉设备

B.4.1 试运转前应检查下列项目，并应在符合要求后进行单机试运行：

1 环境洁净度等级应为 6 级，温度应为 22.5℃±2.5℃，相对湿度应为 40%～70%；

2 湿度传感器、室内温度传感器、风压传感器、空气传感器应避开气体放空口及出风口处；

3 接地电阻不应大于 1Ω；

4 不间断三相交流电源电压应为 380V±10%，频率应为 50Hz，功率应为 200kW；

5 冷却水压力应为 $2kgf/cm^2$～$3kgf/cm^2$，流量应为 20L/min；

6 压缩空气压力应为 0.4MPa,流量应为 10L/min～20L/min；

7 气源柜排风量应为 $8m^3$/min～$10m^3$/min；

8 尾气排酸管路负压应为 250Pa～300Pa；

9 排毒箱排风量应为 $8m^3$/min～$12m^3$/min；

10 炉体机箱排风量应为 $20m^3$/min～$25m^3$/min。

B.4.2 验收项目应符合下列规定：

1 炉箱超温报警应正常；

2 超温报警、极限超温报警应正常；

3 断偶保护应正常；

4 水流报警应正常；

5 高压空气、氮气报警应正常；

6 风压报警应正常；

7 气体流量报警应正常；

8 压差报警应正常；

9 舟极限位报警应正常；

10 加热炉升降温度应正常；

11 机械手、炉门、推拉舟应工作正常。

B.5 MCP 刻边设备

B.5.1 试运转前应检查下列项目，并应在符合要求后进行单机试运行：

1 环境洁净度等级应为 7 级，温度应为 22.5℃±2.5℃，相对湿度应为 40%～70%；

2 湿度传感器、室内温度传感器、风压传感器、空气传感器应避开气体放空口及出风口处；

3 接地电阻不应大于 1Ω；

4 不间断三相交流电源电压应为 380V±10%，频率应为 50Hz，功率应为 5kW；

5 冷却水压力应为 $1kgf/cm^2$～$2.5kgf/cm^2$，流量应为 15L/min，

水温应为20℃～25℃；

6 压缩空气、氮气、氧气、四氟化碳压力应大于0.3MPa；

7 四氟化碳纯度应大于99.9995%，氧气纯度应大于99.999%；

8 上口散热排风应为$1m^3/min$～$5m^3/min$；

9 泵口排风应为$1m^3/min$～$5m^3/min$。

B.5.2 验收项目应符合下列规定：

1 反应腔工艺压力报警应正常；

2 真空压力报警应正常；

3 工艺气体报警应正常；

4 反应室门报警应正常；

5 设备的气体压力、旋转电机、干泵、流量、射频应显示正常；

6 干泵、蝶阀、各截止阀、真空系统、压力控制系统应工作正常。

B.6 湿法刻蚀机

B.6.1 设备运转前应检查下列项目，并应在符合要求后进行单机试运转：

1 环境洁净度等级应为7级，温度应为22.5℃±2.5℃，相对湿度应为40%～70%；

2 湿度传感器、室内温度传感器、风压传感器、空气传感器应避开气体放空口及出风口处；

3 接地电阻不应大于1Ω；

4 不间断三相交流电源电压应为380V±10%，频率应为50Hz；

5 冷却水压力应为0.3MPa～0.4MPa，循环流量应为$6m^3/h$～$7.5m^3/h$；

6 纯水电阻率不应小于18MΩ·cm，压力应为0.3MPa～0.4MPa，流量应为$1.7m^3/h$；

7 压缩空气压力应为0.5MPa～0.6MPa，流量应为$1.3m^3/min$；

8　排风风量不应小于 5400m³/h。

B.6.2　验收项目应符合下列规定：

1　设备的温度传感器、压力传感器、液体流量计工作应显示正常；

2　传动滚轮运转应平稳；

3　所有工艺槽温度应可调，温度允许偏差为±1℃；

4　设备破片率应小于 0.2%；

5　药液注入量应可调，体积允许偏差为±1%。

B.7　槽式去 PSG 清洗设备

B.7.1　试运转前应检查下列项目，并应在符合要求后进行单机试运行：

1　环境洁净度等级应为 7 级，温度应为 22.5℃±2.5℃，相对湿度应为 40%～70%；

2　湿度传感器、室内温度传感器、风压传感器、空气传感器应避开气体放空口及出风口处；

3　接地电阻不应大于 1Ω；

4　不间断三相交流电源电压应为 380V±10%，频率应为 50Hz，功率应为 10kW；

5　去离子水压力应为 0.2MPa～0.3MPa，流量应为 60L/min；

6　压缩空气压力应为 0.5MPa～0.6MPa，流量应为 60L/min；

7　氮气压力应为 0.5MPa～0.6MPa，流量应为 80L/min；

8　排风量应为 4000m³/h。

B.7.2　验收项目应符合下列规定：

1　各工艺槽注药液时间、比例应符合工艺要求；

2　各工艺槽排放时间应符合工艺要求；

3　机械臂运行速度应符合工艺要求；

4　设备的水压力、气体压力、风压传感器、各光电传感器应显示正常；

5　各工艺槽槽盖及槽内液位应正常；

6　进料工位、工艺槽、气路系统、管路系统、传送机械手、控制系统应工作正常。

B.8　平板式 PECVD 设备

B.8.1　试运转前应检查下列项目，并应在符合以下要求后进行单机试运转：

1　环境洁净度等级应为 8 级，温度应为 21.5℃±2℃，相对湿度应为 40%～60%。

2　动力条件应符合下列规定：

1）不间断三相交流电压应为 380V±10%，频率应为 50Hz，功率不应低于设备装机要求；

2）冷却水水温应为 20℃±2℃，进水压力应为 0.4MPa～0.5MPa，回水压力应为 0.2MPa～0.3MPa；

3）工艺气体管道二次配管完成，压力应符合要求，并应标有明显的化学分子式；

4）工艺气体泄漏报警装置应运行正常；

5）压缩空气压力应为 0.5MPa～0.7MPa；

6）气源柜排风量应大于或等于 $4m^3/min$；

7）排气和尾气处理装置应运行正常；

8）普通氮气压力应为 0.5MPa～0.7MPa；

9）接地电阻不应大于 4Ω；

10）绝缘电阻不应小于 2MΩ。

3　设备系统检查应符合下列规定：

1）真空泵运转应方向正确；

2）真空系统应检测合格；

3）载板应传输流畅，定位准确，无卡板、脱轨现象；

4）电缆应接地准确可靠；

5）工艺气体管路系统应检测合格。

B.8.2 验收项目应符合下列规定：

1 接通电源主机应显示电源接通；

2 冷却水流量和温度报警应正常；

3 打开压缩空气阀门，压力传感器显示的压力值应在要求的范围；

4 加热系统、真空系统工作应正常；

5 通过 MFC 控制工艺气体流量，流量和压力应稳定并且符合要求。

B.9 管式 PECVD 设备

B.9.1 试运转前应检查下列项目，并应在符合要求后进行单机试运行：

1 环境洁净度等级应为 8 级，温度应为 22.5℃±2.5℃，相对湿度应为 40%～70%；

2 湿度传感器、室内温度传感器、风压传感器、空气传感器应避开气体放空口及出风口处；

3 接地电阻不应大于 1Ω；

4 不间断三相交流电源电压应为 380V±10%，频率应为 50Hz，功率应为 200kW；

5 冷却水压力应为 $1kgf/cm^2$～$2.5kgf/cm^2$，流量应为 15L/min，水温应为 20℃～25℃；

6 压缩空气压力应大于 $4kgf/cm^2$，流量应为 10L/min～20L/min；

7 氮气应大于 $6kgf/cm^2$，流量应为 20L/min/管；

8 气源柜排风量应为 $8m^3/min$～$10m^3/min$；

9 尾气排酸管路负压应为 250Pa～300Pa；

10 排毒箱排风量应为 $8m^3/min$～$12m^3/min$；

11 炉体机箱排风量应为 $20m^3/min$～$25m^3/min$。

B.9.2 验收项目应符合下列规定：

1 炉箱超温报警应正常；

2 超温报警、极限超温报警应正常；

3 断偶保护应正常；

4 水流报警应正常；

5 高压空气、氮气报警应正常；

6 风压报警应正常；

7 气体流量报警应正常；

8 压差报警应正常；

9 舟极限位报警应正常；

10 加热炉升降温度应正常；

11 机械手、炉门、推拉舟应工作正常。

B.10 进口全自动丝网印刷设备

B.10.1 设备运转前应检查下列项目，并应在符合要求后进行单机试运转：

1 环境洁净度等级应为8级，温度应为22.5℃±2.5℃，相对湿度应为40%～70%；

2 湿度传感器、室内温度传感器、风压传感器、空气传感器应避开气体放空口及出风口处；

3 接地电阻不应大于1Ω；

4 不间断三相交流电源电压应为380V±10%，频率应为50Hz；

5 压缩空气压力应为0.6MPa，流量应为4m^3/min；

6 真空压力应为－68kPa～－70kPa，流量应为2.5m^3/min；

7 有机排风风量不应小于1500m^3/h。

B.10.2 验收项目应符合下列规定：

1 设备的温度传感器、压力传感器、液体流量计工作应显示正常；

2 设备破片率应小于0.2%；

3 印刷精度允许误差为±50μm；

4 生产过程应全自动运行，并应具有安全齐备的报警保护功能。

B.11 快速烧结炉

B.11.1 设备运转前应检查下列项目，并应在符合要求后进行单机试运转：

1 环境洁净度等级应为8级，温度应为22.5℃±2.5℃，相对湿度应为40%～70%；

2 湿度传感器、室内温度传感器、风压传感器、空气传感器应避开气体放空口及出风口处；

3 接地电阻不应大于1Ω；

4 不间断三相交流电源电压应为380V±10%，频率应为50Hz；

5 冷却水压力应为0.3MPa～0.4MPa，循环流量应为$2.3m^3/h$～$4.5m^3/h$；

6 压缩空气压力应为0.8MPa，流量应为$1m^3/min$～$2m^3/min$；

7 热排风风量不应小于$5900m^3/h$；

8 有机排风风量不应小于$150m^3/h$。

B.11.2 验收项目应符合下列规定：

1 设备的温度传感器、压力传感器、液体流量计工作应显示正常；

2 传送网带运转应平稳；

3 各温区温度应可调，温度允许偏差为±2℃，升温速度不应小于100℃/s，降温速度不应小于100℃/s；

4 设备破片率应小于0.1%；

5 生产过程应全自动运行，并应具有安全齐全的报警保护功能。

B.12 CDS供液设备

B.12.1 试运转前应检查下列项目，并应在符合要求后进行单机试运行：

1 环境洁净度等级应为8级，温度应为22.5℃±2.5℃，相对湿度应为40％～70％；

2 湿度传感器、室内温度传感器、风压传感器、空气传感器应避开气体放空口及出风口处；

3 接地电阻不应大于1Ω；

4 不间断单相交流电源电压应为220V±10％，频率应为50Hz；

5 去离子水压力应为0.2MPa～0.3MPa，流量应为60L/min；

6 压缩空气压力应为0.5MPa～0.6MPa，流量应为20L/min；

7 氮气压力应为0.5MPa～0.6MPa，流量应为20L/min；

8 排风量应为900m^3/h。

B.12.2 验收项目应符合下列规定：

1 设备的水压力、气体压力、风压传感器应显示正常；

2 水枪、气枪、气路系统、管路系统、控制系统应工作正常。

附录C 太阳能电池生产主要设备的安装和验收要求

表C 设备的安装和验收要求

<table>
<tr><td colspan="2">设备名称</td><td></td><td colspan="2">型号</td><td></td></tr>
<tr><td colspan="2">用途</td><td colspan="4"></td></tr>
<tr><td colspan="2">包装箱尺寸</td><td></td><td colspan="2">毛重(kg)</td><td></td></tr>
<tr><td colspan="2"></td><td></td><td colspan="2"></td><td></td></tr>
<tr><td colspan="2"></td><td></td><td colspan="2"></td><td></td></tr>
<tr><td colspan="2">主体尺寸</td><td></td><td colspan="2">主要部件尺寸</td><td></td></tr>
<tr><td colspan="2" rowspan="2">维修空间</td><td>前(mm)</td><td>后(mm)</td><td>左(mm)</td><td>右(mm)</td></tr>
<tr><td></td><td></td><td></td><td></td></tr>
<tr><td colspan="2" rowspan="2">地基要求</td><td>水平度</td><td>微震</td><td></td><td></td></tr>
<tr><td></td><td></td><td></td><td></td></tr>
<tr><td rowspan="2">电源</td><td>电源性质</td><td>电压(V)</td><td>相数</td><td>功率(kW)</td><td>接地电阻(Ω)</td></tr>
<tr><td></td><td></td><td></td><td></td><td></td></tr>
<tr><td colspan="2">纯水</td><td>电阻率
(MΩ・cm)</td><td>温度(℃)</td><td>压力(MPa)</td><td>流量(L/min)</td></tr>
<tr><td colspan="2"></td><td></td><td></td><td></td><td></td></tr>
<tr><td colspan="2">冷却水</td><td>电阻率
(MΩ・cm)</td><td>温度(℃)</td><td>压力(MPa)</td><td>流量(L/min)</td></tr>
<tr><td colspan="2"></td><td></td><td></td><td></td><td></td></tr>
<tr><td colspan="2">工业用水</td><td>电阻率
(MΩ・cm)</td><td>温度(℃)</td><td>压力(MPa)</td><td>流量(L/min)</td></tr>
<tr><td colspan="2"></td><td></td><td></td><td></td><td></td></tr>
<tr><td colspan="2"></td><td></td><td></td><td></td><td></td></tr>
<tr><td colspan="2"></td><td></td><td></td><td></td><td></td></tr>
<tr><td colspan="2"></td><td></td><td></td><td></td><td></td></tr>
</table>

续表 C

大宗气体	纯度(%)	压力(MPa)	流量(L/min)	管道接口形式
特种气体	纯度(%)	压力(MPa)	流量(L/min)	管道接口形式
化学品	组分	压力(MPa)	流量(L/min)	管道接口形式
环境要求	温度(℃)	湿度(%)	洁净度	
排风	材质	接口(mm)	抽速(m/s)	
工艺排气	类别	接口(mm)	抽速(m/s)	
通信接口				
其他要求				

附录D 验收表格

D.0.1 太阳能电池生产设备开箱验收检查记录应符合表D.0.1的规定。

表D.0.1 太阳能电池生产设备开箱检查记录

<table>
<tr><td colspan="2">工程名称</td><td colspan="2"></td><td colspan="2">工艺平面图号</td><td></td></tr>
<tr><td colspan="2">设备名称</td><td colspan="2"></td><td colspan="2">设备型号</td><td></td></tr>
<tr><td colspan="2">国别/制造厂</td><td colspan="2"></td><td colspan="2">设备位置编号</td><td></td></tr>
<tr><td colspan="7">包装检查情况：</td></tr>
<tr><td colspan="7">技术文件交接情况：</td></tr>
<tr><td colspan="7">接受前倾斜是否超限：</td></tr>
<tr><td colspan="7">接受前振动是否超限：</td></tr>
<tr><td colspan="7">设备外观情况：</td></tr>
<tr><td colspan="7">备品、附件及随机工具、量具、仪器明细清单</td></tr>
<tr><td>序号</td><td>名称</td><td>规格</td><td>单位</td><td>清单数</td><td>实收数</td><td>质量情况</td></tr>
<tr><td></td><td></td><td></td><td></td><td></td><td></td><td></td></tr>
<tr><td></td><td></td><td></td><td></td><td></td><td></td><td></td></tr>
<tr><td></td><td></td><td></td><td></td><td></td><td></td><td></td></tr>
<tr><td></td><td></td><td></td><td></td><td></td><td></td><td></td></tr>
<tr><td></td><td></td><td></td><td></td><td></td><td></td><td></td></tr>
<tr><td colspan="7">清点零件、部件、附件数量有无缺少；质量有无缺陷、损坏锈蚀及对问题的处理意见：</td></tr>
<tr><td colspan="2">建设单位：
代表(签章)：
年 月 日</td><td colspan="2">供货商检：
代表(签章)：
年 月 日</td><td colspan="2">施工单位：
代表(签章)：
年 月 日</td><td>监理单位：
代表(签章)：
年 月 日</td></tr>
</table>

D.0.2 太阳能电池生产设备安装检验批质量验收记录应符合表D.0.2的规定。

表 D.0.2 太阳能电池生产设备安装检验批质量验收记录

<table>
<tr><td colspan="2">工程名称</td><td colspan="2"></td><td>生产设备
平面布置图号</td><td colspan="2"></td></tr>
<tr><td colspan="2">设备名称型号</td><td colspan="2"></td><td>设备位置编号</td><td colspan="2"></td></tr>
<tr><td colspan="2">施工单位</td><td></td><td>专业技术
负责人</td><td></td><td>项目经理</td><td></td></tr>
<tr><td colspan="2">执行标准及编号</td><td colspan="5"></td></tr>
<tr><td rowspan="10">主控
项目</td><td colspan="3">质量验收规范的规定</td><td>施工单位
检查评定记录</td><td colspan="2">建设单位
验收记录</td></tr>
<tr><td>1</td><td>平面位置</td><td></td><td></td><td colspan="2"></td></tr>
<tr><td>2</td><td>垫板安装</td><td></td><td></td><td colspan="2"></td></tr>
<tr><td>3</td><td>底脚固定</td><td></td><td></td><td colspan="2"></td></tr>
<tr><td>4</td><td>特殊基础上平面不平度</td><td></td><td></td><td colspan="2"></td></tr>
<tr><td>5</td><td>特殊基础水平度</td><td></td><td></td><td colspan="2"></td></tr>
<tr><td>6</td><td>特殊基础稳定性</td><td></td><td></td><td colspan="2"></td></tr>
<tr><td>7</td><td>特殊基础与活动地板
洞口接触缝</td><td></td><td></td><td colspan="2"></td></tr>
<tr><td>8</td><td>设备水平度</td><td></td><td></td><td colspan="2"></td></tr>
<tr><td>9</td><td>设备垂直度</td><td></td><td></td><td colspan="2"></td></tr>
<tr><td rowspan="6">一般
项目</td><td>1</td><td>特殊基础防锈</td><td></td><td></td><td colspan="2"></td></tr>
<tr><td>2</td><td>特殊基础标高</td><td></td><td></td><td colspan="2"></td></tr>
<tr><td>3</td><td>垫板洁净状况</td><td></td><td></td><td colspan="2"></td></tr>
<tr><td>4</td><td>每组垫板块数</td><td></td><td></td><td colspan="2"></td></tr>
<tr><td>5</td><td>设备跨壁安装密封</td><td></td><td></td><td colspan="2"></td></tr>
<tr><td>6</td><td>其他</td><td></td><td></td><td colspan="2"></td></tr>
<tr><td colspan="2">施工单位
检查结果评定</td><td colspan="5">项目专业质量检验员： 年 月 日</td></tr>
<tr><td colspan="2">建设单位
验收结论</td><td colspan="5">项目专业技术负责人： 年 月 日</td></tr>
</table>

D.0.3 太阳能电池生产设备配管配线检验批质量验收记录应符合表D.0.3的规定。

表D.0.3 太阳能电池生产设备配管配线检验批质量验收记录

<table>
<tr><td colspan="2">工程名称</td><td colspan="2"></td><td>设备配管图号</td><td colspan="2"></td></tr>
<tr><td colspan="2">设备名称型号</td><td colspan="2"></td><td>设备位置编号</td><td colspan="2"></td></tr>
<tr><td colspan="2">施工单位</td><td></td><td>项目经理</td><td></td><td>专业技术负责人</td><td></td></tr>
<tr><td colspan="2">执行标准及编号</td><td colspan="5"></td></tr>
<tr><td rowspan="11">主控项目</td><td colspan="3">质量验收规范的规定</td><td>施工单位检查评定记录</td><td colspan="2">建设单位验收记录</td></tr>
<tr><td>1</td><td>配管材料、材质</td><td></td><td></td><td colspan="2"></td></tr>
<tr><td>2</td><td>管线布置、走向</td><td></td><td></td><td colspan="2"></td></tr>
<tr><td>3</td><td>管道焊接</td><td></td><td></td><td colspan="2"></td></tr>
<tr><td>4</td><td>支架、焊缝位置</td><td></td><td></td><td colspan="2"></td></tr>
<tr><td>5</td><td>支吊架间距</td><td></td><td></td><td colspan="2"></td></tr>
<tr><td>6</td><td>管道压力试验</td><td></td><td></td><td colspan="2"></td></tr>
<tr><td>7</td><td>配管冲(吹)洗</td><td></td><td></td><td colspan="2"></td></tr>
<tr><td>8</td><td>电线电缆规格、材质</td><td></td><td></td><td colspan="2"></td></tr>
<tr><td>9</td><td>电气线路绝缘</td><td></td><td></td><td colspan="2"></td></tr>
<tr><td>10</td><td>设备、管道接地</td><td></td><td></td><td colspan="2"></td></tr>
<tr><td rowspan="6">一般项目</td><td>1</td><td>管道坡度</td><td></td><td></td><td colspan="2"></td></tr>
<tr><td>2</td><td>螺纹连接</td><td></td><td></td><td colspan="2"></td></tr>
<tr><td>3</td><td>法兰连接</td><td></td><td></td><td colspan="2"></td></tr>
<tr><td>4</td><td>不锈钢管与碳钢隔离</td><td></td><td></td><td colspan="2"></td></tr>
<tr><td>5</td><td>阀门安装</td><td></td><td></td><td colspan="2"></td></tr>
<tr><td>6</td><td>其他</td><td></td><td></td><td colspan="2"></td></tr>
<tr><td colspan="2">施工单位检查结果评定</td><td colspan="5">项目专业质量检验员：　　　　年　月　日</td></tr>
<tr><td colspan="2">建设单位验收结论</td><td colspan="5">项目专业技术负责人：　　　　年　月　日</td></tr>
</table>

D.0.4 太阳能电池生产设备二次配管压力试验、冲(吹)洗记录应符合表 D.0.4 的规定。

表 D.0.4 太阳能电池生产设备二次配管压力试验、冲(吹)洗记录

<table>
<tr><td colspan="2">工程名称</td><td colspan="3"></td><td colspan="2">设备配管图号</td><td colspan="2"></td></tr>
<tr><td colspan="2">设备名称型号</td><td colspan="3"></td><td colspan="2">设备位置编号</td><td colspan="2"></td></tr>
<tr><td colspan="2">施工单位</td><td colspan="2"></td><td>项目经理</td><td colspan="2"></td><td>专业技术负责人</td><td></td></tr>
<tr><td colspan="2">执行标准及编号</td><td colspan="7"></td></tr>
<tr><td>编号</td><td colspan="2">管道系统名称（介质）</td><td>压力试验</td><td>气密性试验</td><td>泄漏性试验</td><td>吹（冲）洗</td><td>施工单位检查评定</td><td>建设单位验收记录</td></tr>
<tr><td>1</td><td colspan="2"></td><td></td><td></td><td></td><td></td><td></td><td></td></tr>
<tr><td>2</td><td colspan="2"></td><td></td><td></td><td></td><td></td><td></td><td></td></tr>
<tr><td>3</td><td colspan="2"></td><td></td><td></td><td></td><td></td><td></td><td></td></tr>
<tr><td>4</td><td colspan="2"></td><td></td><td></td><td></td><td></td><td></td><td></td></tr>
<tr><td>5</td><td colspan="2"></td><td></td><td></td><td></td><td></td><td></td><td></td></tr>
<tr><td>6</td><td colspan="2"></td><td></td><td></td><td></td><td></td><td></td><td></td></tr>
<tr><td>7</td><td colspan="2"></td><td></td><td></td><td></td><td></td><td></td><td></td></tr>
<tr><td>8</td><td colspan="2"></td><td></td><td></td><td></td><td></td><td></td><td></td></tr>
<tr><td>9</td><td colspan="2"></td><td></td><td></td><td></td><td></td><td></td><td></td></tr>
<tr><td>10</td><td colspan="2"></td><td></td><td></td><td></td><td></td><td></td><td></td></tr>
<tr><td>11</td><td colspan="2"></td><td></td><td></td><td></td><td></td><td></td><td></td></tr>
<tr><td>12</td><td colspan="2"></td><td></td><td></td><td></td><td></td><td></td><td></td></tr>
<tr><td>13</td><td colspan="2"></td><td></td><td></td><td></td><td></td><td></td><td></td></tr>
<tr><td>14</td><td colspan="2"></td><td></td><td></td><td></td><td></td><td></td><td></td></tr>
<tr><td>15</td><td colspan="2"></td><td></td><td></td><td></td><td></td><td></td><td></td></tr>
<tr><td colspan="2">施工单位
检查结果评定</td><td colspan="7">项目专业质量检验员：　　　　年　月　日</td></tr>
<tr><td colspan="2">建设单位
验收结论</td><td colspan="7">项目专业技术负责人：　　　　年　月　日</td></tr>
</table>

D.0.5 太阳能电池生产设备调试记录应符合表 D.0.5 的规定。

表 D.0.5 太阳能电池生产设备调试记录

<table>
<tr><td colspan="2">设备型号、名称</td><td></td><td colspan="2">设备编号</td><td></td><td colspan="2">调试单位</td><td></td></tr>
<tr><td colspan="2">调试依据</td><td></td><td colspan="2">调试环境</td><td colspan="4">温度： 湿度： 其他：</td></tr>
<tr><td colspan="9">一、调试所需仪器、设备</td></tr>
<tr><td>序号</td><td>名称</td><td>型号</td><td>测量范围</td><td>准确度</td><td>数量</td><td>编号</td><td>检定有效期</td><td>备注</td></tr>
<tr><td></td><td></td><td></td><td></td><td></td><td></td><td></td><td></td><td></td></tr>
<tr><td></td><td></td><td></td><td></td><td></td><td></td><td></td><td></td><td></td></tr>
<tr><td></td><td></td><td></td><td></td><td></td><td></td><td></td><td></td><td></td></tr>
<tr><td></td><td></td><td></td><td></td><td></td><td></td><td></td><td></td><td></td></tr>
<tr><td></td><td></td><td></td><td></td><td></td><td></td><td></td><td></td><td></td></tr>
<tr><td></td><td></td><td></td><td></td><td></td><td></td><td></td><td></td><td></td></tr>
<tr><td colspan="9">二、调试情况</td></tr>
<tr><td>序号</td><td colspan="2">调试项目及要求</td><td colspan="2">调试结果</td><td>合格判定</td><td>调试人员</td><td>调试日期</td><td>备注</td></tr>
<tr><td></td><td colspan="2"></td><td colspan="2"></td><td></td><td></td><td></td><td></td></tr>
<tr><td></td><td colspan="2"></td><td colspan="2"></td><td></td><td></td><td></td><td></td></tr>
<tr><td></td><td colspan="2"></td><td colspan="2"></td><td></td><td></td><td></td><td></td></tr>
<tr><td></td><td colspan="2"></td><td colspan="2"></td><td></td><td></td><td></td><td></td></tr>
<tr><td></td><td colspan="2"></td><td colspan="2"></td><td></td><td></td><td></td><td></td></tr>
<tr><td></td><td colspan="2"></td><td colspan="2"></td><td></td><td></td><td></td><td></td></tr>
<tr><td></td><td colspan="2"></td><td colspan="2"></td><td></td><td></td><td></td><td></td></tr>
<tr><td></td><td colspan="2"></td><td colspan="2"></td><td></td><td></td><td></td><td></td></tr>
<tr><td colspan="9">三、调试结论：

编制： 日期： 审核： 日期：</td></tr>
</table>

D.0.6 太阳能电池生产设备试运行记录应符合表D.0.6的规定。

表D.0.6 太阳能电池生产设备试运行记录

<table>
<tr><td>设备型号、名称</td><td colspan="2"></td><td colspan="2">设备编号</td><td></td><td colspan="2">调试单位</td><td></td></tr>
<tr><td>试运行依据</td><td colspan="2"></td><td colspan="2">试运行类型</td><td colspan="4">单机试运行□ 联试□</td></tr>
<tr><td colspan="9">一、试运行所需仪器、设备</td></tr>
<tr><td>序号</td><td>名称</td><td>型号</td><td>测量范围</td><td>准确度</td><td>数量</td><td>编号</td><td>检定有效期</td><td>备注</td></tr>
<tr><td></td><td></td><td></td><td></td><td></td><td></td><td></td><td></td><td></td></tr>
<tr><td></td><td></td><td></td><td></td><td></td><td></td><td></td><td></td><td></td></tr>
<tr><td></td><td></td><td></td><td></td><td></td><td></td><td></td><td></td><td></td></tr>
<tr><td></td><td></td><td></td><td></td><td></td><td></td><td></td><td></td><td></td></tr>
<tr><td></td><td></td><td></td><td></td><td></td><td></td><td></td><td></td><td></td></tr>
<tr><td></td><td></td><td></td><td></td><td></td><td></td><td></td><td></td><td></td></tr>
<tr><td colspan="9">二、试运行情况</td></tr>
<tr><td colspan="3">试运行环境</td><td colspan="6">温度： 湿度： 其他：</td></tr>
<tr><td>序号</td><td colspan="2">试运行项目及要求</td><td>试运行结果</td><td>合格判定</td><td>操作人员</td><td colspan="2">试运行日期</td><td>备注</td></tr>
<tr><td></td><td colspan="2"></td><td></td><td></td><td></td><td colspan="2"></td><td></td></tr>
<tr><td></td><td colspan="2"></td><td></td><td></td><td></td><td colspan="2"></td><td></td></tr>
<tr><td></td><td colspan="2"></td><td></td><td></td><td></td><td colspan="2"></td><td></td></tr>
<tr><td></td><td colspan="2"></td><td></td><td></td><td></td><td colspan="2"></td><td></td></tr>
<tr><td></td><td colspan="2"></td><td></td><td></td><td></td><td colspan="2"></td><td></td></tr>
<tr><td></td><td colspan="2"></td><td></td><td></td><td></td><td colspan="2"></td><td></td></tr>
<tr><td colspan="9">三、试运行结论：

编制： 日期： 审核： 日期：</td></tr>
</table>

D.0.7 太阳能电池生产设备安装工程交接(竣工)验收记录应符合表D.0.7的规定。

表 D.0.7 太阳能电池生产设备安装工程交接(竣工)验收报告

<table>
<tr><td>工程名称</td><td colspan="2"></td><td>合同编号</td><td colspan="2"></td></tr>
<tr><td>建设单位</td><td></td><td>开工日期</td><td></td><td>交接日期
(竣工日期)</td><td></td></tr>
<tr><td>施工单位</td><td></td><td>项目技术
负责人</td><td></td><td>项目专业质量
检验员</td><td></td></tr>
<tr><td>设备安装
完成情况</td><td colspan="5"></td></tr>
<tr><td>二次配管
完成情况</td><td colspan="5"></td></tr>
<tr><td>工程质量
验收资料
状况</td><td colspan="5"></td></tr>
<tr><td>质量控制
资料状况</td><td colspan="5"></td></tr>
<tr><td>施工单位
意见</td><td colspan="5">项目经理：　　　　　　　　　　　　　　　　年　月　日</td></tr>
</table>

D.0.8 太阳能电池生产设备安装(配管配线)分项工程质量验收记录应符合表D.0.8的规定。

表D.0.8 太阳能电池生产设备安装(配管配线)分项工程质量验收记录

<table>
<tr><td colspan="2">工程名称</td><td colspan="2"></td><td>生产设备
平面布置图号</td><td colspan="2"></td></tr>
<tr><td colspan="2">施工单位</td><td></td><td>项目经理</td><td></td><td>项目技术
负责人</td><td></td></tr>
<tr><td>序号</td><td colspan="2">检验批部位</td><td colspan="2">施工单位检查评定结果</td><td colspan="2">验收结论</td></tr>
<tr><td>1</td><td colspan="2"></td><td colspan="2"></td><td colspan="2"></td></tr>
<tr><td>2</td><td colspan="2"></td><td colspan="2"></td><td colspan="2"></td></tr>
<tr><td>3</td><td colspan="2"></td><td colspan="2"></td><td colspan="2"></td></tr>
<tr><td>4</td><td colspan="2"></td><td colspan="2"></td><td colspan="2"></td></tr>
<tr><td>5</td><td colspan="2"></td><td colspan="2"></td><td colspan="2"></td></tr>
<tr><td>6</td><td colspan="2"></td><td colspan="2"></td><td colspan="2"></td></tr>
<tr><td>7</td><td colspan="2"></td><td colspan="2"></td><td colspan="2"></td></tr>
<tr><td>8</td><td colspan="2"></td><td colspan="2"></td><td colspan="2"></td></tr>
<tr><td>9</td><td colspan="2"></td><td colspan="2"></td><td colspan="2"></td></tr>
<tr><td>10</td><td colspan="2"></td><td colspan="2"></td><td colspan="2"></td></tr>
<tr><td>11</td><td colspan="2"></td><td colspan="2"></td><td colspan="2"></td></tr>
<tr><td>12</td><td colspan="2"></td><td colspan="2"></td><td colspan="2"></td></tr>
<tr><td>13</td><td colspan="2"></td><td colspan="2"></td><td colspan="2"></td></tr>
<tr><td>14</td><td colspan="2"></td><td colspan="2"></td><td colspan="2"></td></tr>
<tr><td>15</td><td colspan="2"></td><td colspan="2"></td><td colspan="2"></td></tr>
<tr><td>验收
单位</td><td colspan="2">建设单位:
(公章)

项目负责人:

年 月 日</td><td colspan="2">施工单位:
(公章)

项目技术负责人:
项目经理:
年 月 日</td><td colspan="2">设计单位:
(公章)

项目负责人:

年 月 日</td></tr>
</table>

D.0.9 太阳能电池生产设备安装工程竣工验收记录应符合表 D.0.9 的规定。

表 D.0.9 太阳能电池生产设备安装工程竣工验收记录

<table>
<tr><td colspan="3">工程名称</td><td colspan="3"></td><td colspan="2">生产设备
平面布置图号</td><td colspan="3"></td></tr>
<tr><td colspan="3">施工单位</td><td colspan="2"></td><td colspan="2">项目经理</td><td></td><td colspan="2">项目技术
负责人</td><td></td></tr>
<tr><td colspan="3">分包单位</td><td colspan="2"></td><td colspan="2">分包单位
负责人</td><td></td><td colspan="2">分包单位
技术负责人</td><td></td></tr>
<tr><td colspan="2">序号</td><td colspan="3">分项工程名称</td><td colspan="2">检验批数</td><td colspan="2">施工单位检查评定</td><td colspan="2">验收意见</td></tr>
<tr><td colspan="2">1</td><td colspan="3"></td><td colspan="2"></td><td colspan="2"></td><td colspan="2" rowspan="10"></td></tr>
<tr><td colspan="2">2</td><td colspan="3"></td><td colspan="2"></td><td colspan="2"></td></tr>
<tr><td colspan="2">3</td><td colspan="3"></td><td colspan="2"></td><td colspan="2"></td></tr>
<tr><td colspan="2">4</td><td colspan="3"></td><td colspan="2"></td><td colspan="2"></td></tr>
<tr><td colspan="2">5</td><td colspan="3"></td><td colspan="2"></td><td colspan="2"></td></tr>
<tr><td colspan="2">6</td><td colspan="3"></td><td colspan="2"></td><td colspan="2"></td></tr>
<tr><td colspan="2">7</td><td colspan="3"></td><td colspan="2"></td><td colspan="2"></td></tr>
<tr><td colspan="2">8</td><td colspan="3"></td><td colspan="2"></td><td colspan="2"></td></tr>
<tr><td colspan="2">9</td><td colspan="3"></td><td colspan="2"></td><td colspan="2"></td></tr>
<tr><td colspan="2">10</td><td colspan="3"></td><td colspan="2"></td><td colspan="2"></td></tr>
<tr><td colspan="5">质量控制资料</td><td colspan="2"></td><td colspan="2"></td><td colspan="2"></td></tr>
<tr><td colspan="5">安全和功能检验(检测)报告</td><td colspan="2"></td><td colspan="2"></td><td colspan="2"></td></tr>
<tr><td colspan="5">感观质量验收</td><td colspan="6"></td></tr>
<tr><td rowspan="2">验收单位</td><td colspan="3" rowspan="2">建设单位:
(公章)
项目负责人:
年 月 日</td><td rowspan="2">设备供货方:
(公章)
代表:
年 月 日</td><td colspan="4">施工单位</td><td colspan="2" rowspan="2">设计单位:
(公章)
项目负责人:
年 月 日</td></tr>
<tr><td colspan="2">施工单位:
(公章)
单位负责人:
年 月 日</td><td colspan="2">分包单位:
(公章)
单位负责人:
年 月 日</td></tr>
</table>

本规范用词说明

1 为便于在执行本规范条文时区别对待，对要求严格程度不同的用词说明如下：

1）表示很严格，非这样做不可的：

正面词采用“必须”，反面词采用“严禁”；

2）表示严格，在正常情况下均应这样做的：

正面词采用“应”，反面词采用“不应”或“不得”；

3）表示允许稍有选择，在条件许可时首先应这样做的：

正面词采用“宜”，反面词采用“不宜”；

4）表示有选择，在一定条件下可以这样做的，采用“可”。

2 条文中指明应按其他有关标准执行的写法为：“应符合……的规定”或“应按……执行”。

引用标准名录

《电气装置安装工程　接地装置施工及验收规范》GB 50169

《机械设备安装工程施工及验收通用规范》GB 50231

《建筑电气工程施工质量验收规范》GB 50303

《微电子生产设备安装工程施工及验收规范》GB 50467

《特种气体系统工程技术规范》GB 50646

《电子工业纯水系统设计规范》GB 50685

《大宗气体纯化及输送系统工程技术规范》GB 50724

《电子工业化学品系统工程技术规范》GB 50781

《测量控制和试验室用电器设备的安全要求　第一部分:通用要求》GB 4793.1

《起重机械安全规程》GB 6067

《工业管道的基本识别色、识别符号和安全标识》GB 7231

《无损检测氦泄漏检测方法》GB/T 15823

中华人民共和国国家标准

太阳能电池生产设备安装工程施工及质量验收规范

GB 51206-2016

条 文 说 明

制订说明

《太阳能电池生产设备安装工程施工及质量验收规范》GB 51206—2016，经住房城乡建设部2016年10月25日以第1346号公告批准发布。

本规范制订过程中，编制组进行了广泛、深入的调查研究，总结了我国在太阳能电池生产设备安装工程建设中的实践经验，同时参考了国外先进技术法规、技术标准。

为便于广大设计、施工、科研、学校等单位有关人员在使用本规范时能正确理解和执行条文规定，《太阳能电池生产设备安装工程施工及质量验收规范》编制组按章、节、条顺序编制了本规范的条文说明。对条文规定的目的、依据以及执行中需注意的有关事项进行了说明，还着重对强制性条文的强制性理由作了解释。但是，本条文说明不具备与规范正文同等的法律效力，仅供使用者作为理解和把握规范规定的参考。

目　　次

3 基本规定

3.0.1 本条是对设备安装之前整体规划方案的要求。设备安装的安全和质量应为优先考虑的因素，对后续的试运行和生产起着关键的决定作用，一个周密详尽的预控方案，将可大大降低事故发生的概率。

3.0.2 本条是对设备安装之前文件批准流程的要求。一般的技术文件批准流程为：施工单位根据现场实际情况提出更改方案，经设计单位及设备厂家审核，最后由建设单位及监理单位批准。

3.0.3 本条列出了对设备安装工程作业机具的要求。施工机具选择应本着切合实际、经济合理的原则。施工机具应做好及时保养维修和适时更新，防止设备带病运转和超负荷运转。

3.0.4、3.0.5 这两条列出了对设备安装工程作业人员的要求。在施工进场后，施工单位应向建设单位递交本单位施工资质、主要管理人员的从业资格、特殊工种的特种作业操作证（如电工作业、金属焊接切割作业、起重作业等作业）。

3.0.6 本条所指设计文件、设备使用说明书通常包含设备设计图、使用说明书、质保书、工艺实验报告、关键零部件的特性参数、工艺需求表、设备需求的动力条件等内容。

3.0.7 本条是根据现实情况沿用目前普遍的做法制定的。二次配管和设备安装在施工完毕时一般会有初步验收，但在调试和试运转之前，为确保设备和人员安全，仍需对配电电压、相序，各类连接设备的供水、气体、化学品、真空、排气、排水的管道种类、压力等进行自检确认。

3.0.9 本条所指“用于检测的计量器具和仪器、设备应检定合格或校准认可”的法定计量检定机构是指质量技术监督部门依法设置或者授权建立并经质量技术监督部门组织考核合格的计量检定机构。

本条涉及的通用检测器具见表1。

表1　用于检测的通用器具

通用检测器具	测量范围	准确度
钢卷尺	0～5m	1mm
游标卡尺	0～300mm	±0.02mm
耐压测试仪	0～5000V	±1.5%
绝缘电阻测试仪	0～50000MΩ	±3%
钳形电流表	交流电压 0～600V	±(1.2%±5)
	交流电流 0～400A	±(1.8%±5)
数字多用表	0～750V(AC)	±(1%+5)
压力数显仪	0～50kg	±5%
温湿度计	温度：－20℃～40℃	±1℃
	湿度：0～100RH%	±5%RH
数字声级计	35dB～130dB	0.1dB
秒表	0～999h	0.001s
数字温度巡回检测仪	－200℃～1600℃	±0.2℃
千分尺	0～1mm	±0.001mm

4 安装工程施工

4.1 安装前设备材料的储存

4.1.2 暂存的生产设备应采取垫高措施，底部不得积水。

4.1.3 对于某些设备有恒温恒湿要求，应储存在特定的房间或者安装有恒温恒湿机的集装箱内。

4.1.6 太阳能电池生产设备涉及多种材质的工艺管线，如316L不锈钢管、PP管、Clean-PVC管、特氟龙管等对外界污染因素非常敏感的材料，储存环境要求高，应加强管理，防止因被污染造成对生产工艺的运行产生不利影响。

4.1.7 易燃、易爆、有毒、有害危险化学品关系到人身安全、企业安全生产和环境保护，需要对其进行有效管理。此条为强制性条文，必须严格遵守。

1 化学品泄漏会造成土壤和地下水环境污染，故地面应采用环氧树脂等防渗漏材质，一旦发生泄漏，通过围堰或环形地沟进行收集，防止二次污染。易燃易爆品遇明火易发生安全事故，故库房环境应进行不发火处理，同时房间内电气装置应选用防爆型产品。

2 易燃、易爆、有毒、有害危险化学品挥发物达到一定浓度，会产生安全隐患，故应保持良好通风；一旦发生泄漏，还应开启事故排风，减少安全风险。

3 易燃易爆品一旦发生爆炸，为减轻事故对建筑主体结构影响，需要设置泄爆墙将事故冲击控制在影响最小的方向。

4.2 施 工 准 备

4.2.1 除本条规定外，施工前施工单位还应向建设单位提供如下文件：施工方案、人员、机具进场计划、事故应急预案。施工方案主要包括工程概况、施工平面图、编制依据、施工进度计划、施工工艺技术、施工安全保证措施、施工质量保证措施。事故应急预案的主要内容有：应急工作的组织及相应职责，发生事故后的救援程序；信息交流的方式和程序；危险物质信息及对紧急状态的识别，包括物质的危害因素以及发生事故时应采取的有效措施；应急避险的撤离逃生路线图；相关人员的应急培训程序。

4.2.2 扩散炉室、丝印、PECVD等工艺房间均有洁净度要求。在进行设备室内搬运和二次配管时，应注意遵守洁净室管理制度，维护厂房的洁净条件。

洁净室管理制度一般分为三级管理，也称三阶段管理。太阳能电池生产设备安装工程处于第三阶段。遵守的相关规定如下：

进入洁净室的人员应穿着全套洁净服，包括口罩、发罩、手套、洁净鞋等套件，且洁净服袖口应套住手套口；应使用洁净布或无纤维抹布等不发尘材料作为清洁用品，应使用带高效过滤器的吸尘器；不准使用非洁净室用纸张、签字笔等易发尘材料，图纸必须塑封；当使用木材类的，应采取塑料薄膜包裹等材料防尘处理措施。

4.2.3 本条规定特种设备应履行报检程序，主要指起重机、叉车、恒温恒湿运输车等设备。

4.2.4 本条中的“需要复检的材料”通常有电线电缆、保温材料等，具体按照国家和建设所在地规定执行。

4.2.5 清洁处理措施通常是采用无尘纸或无尘布，沾丙酮或酒精等溶剂进行擦拭。

4.2.7 为了防止厂房未达到搬入条件强行搬入设备，后续施工防护不当导致对设备的损伤。搬入前，应由施工单位和建设单位办理好中间交接手续，以界定双方的责任。

4.3 设备搬运

4.3.1 为分清责任，所以在设备搬运前要由有关方共同对设备进行检查，确认设备件数、包装状态及设备超倾斜装置的状态，并在出现异常时留下法律认可的证据。

4.3.2 当设备数量少或设备单体体积小时，一般设备到货后直接放到厂房的卸货平台，当日即进行拆除木箱外包装，并组织人力运输至厂房内安装位置。此种情况，设备搬运只包含厂房内运输。当设备数量多或设备单体体积大时，一般设备到货后，暂存于临时仓库，仓库再搬运至卸货平台，在卸货平台上拆除木箱外包装后运至厂房内。分为室外搬运和室内搬运两个步骤。

4.3.4 现行国家标准《起重机械安全规程》GB 6067 中规定，在架空输电线路一侧工作时，不论在任何情况下，起重臂、钢丝绳或重物与 1kV 以下架空输电线路的最近距离不小于 1.5m。

4.3.5 在拆除外包装的情况下，起吊、搬运有内包装的设备时，对设备造成损伤的可能性增大，且易造成人身意外伤害，条文对其作业过程提出了必要的要求，这些规定不但保证了设备不被空气污染，确保作业人员生命安全，也确保了设备搬运的安全。

4.3.6 叉车搬运时应注意以下环节：

(1)货叉入位时，叉车驾驶员要观察货叉与托盘插孔是否平行，慢慢插入货叉，货叉要全部进入托盘。

(2)搬运货物时不允许用单个货叉运转货物，也不允许用货叉尖端去挑起货物，必须是货叉的全部插入货物下面并使货物均匀地放在货叉上。

(3)行驶时，货叉底端距地高度应保持 300mm～400mm，门架需后倾。不准提升或降低托盘。载物行驶时，货叉不准升得太高，影响叉车的稳定性。

(4)卸货时可使门架少量前倾，以便于安放载荷和抽出货叉。

4.3.7 液压车的选择可参考以下数据：

(1)搬运重量小于 2t 时，宜使用 3t 的手动液压车；

(2)搬运重量在 2t～4t 时，宜使用 5t 的手动液压车；

(3)搬运重量在 4t～8t 或者重量轻体积大的设备时，可使用两台 3t 或 5t 手动液压搬运车组合共同装载，但两车应固定牢靠。

4.3.8 从平稳性和省力的角度考虑，气垫搬运法是在平地搬运精密、重型设备较理想的方法，但由于其装置价格相对昂贵且利用率低，使用尚不普遍。

4.3.9 采用气垫搬运法有如下优点：

(1)由于摩擦力小，移动时所需牵引力或推力很小；

(2)机动性能好，定位准确；

(3)对地面的摩擦力小，能很好地保护地面；

(4)维修简单，安全性能好；

(5)可根据被运物体的重量和体积进行组合，适合大、小重量的运输；

(6)防震、无污染，可在对环境要求较高的场合使用；

(7)体积大小可组合，自重轻，携带或安装使用方便；

(8)可单独使用，无须千斤顶、手摇挎顶的配合。

4.3.10 本条是为生产设备在室外搬运过程中保证设备安全，在任何一个环节都不得产生对设备有害的振动而作出的相关规定。

4.3.11 本条对搬运通道采取的防护措施作出了规定。包括为防止对搬运通道、墙、地的刮伤而采取的铺垫措施和防止损坏架空地板结构、确保设备安全搬运到位而对地板提出的加固要求，选用的材料都是目前常用的防护材料。沿搬运路线的墙壁、墙角、门框应临时敷设 3mm 厚的硬 PVC 保护板；当采用 5mm 厚的胶合板时，应采用防止尘埃产生和扩散的措施；在活动地板上用手动液压搬运车搬运设备时，宜在搬运路线的地板上铺 2mm 厚的 PVC 透明软板，也可先铺设塑料薄膜后，再敷设 3mm 厚不锈钢或 4mm～5mm 厚铝合金板。

4.3.12 由于活动地板的承载能力有限，在活动地板上吊装设备，要根据设备重量和地板结构情况编制安全可靠的吊装技术方案。

4.4 设备开箱

4.4.1 验收时，应当进行拍照，设备到货对箱体拍照记录，设备开箱时对箱体拍照记录，开箱后拆外包装还需要对设备拍照，进洁净室拆内包装还需要拍照记录，并签字留底。设备的到货清单如与实物不符，应及时通知生产厂家，由厂家作出书面澄清，然后进行处置。

4.4.2 若发现货物的包装箱有损坏，应停止开箱。工程师拍照记录下包装箱的损坏现象后，与其他负责验货的人员共同签字确认，同时向设备供货商反映情况。当货物的包装箱完好且数量正确时才可开箱验货。

4.4.5 对房间洁净度有要求的设备，在平台上只拆除外包装木箱，保留塑料内包装待进入缓冲间或洁净室后拆除。开箱平台应满足有足够大面积的平整空间，摆放零部件及开箱后的木板。

4.4.6 保留箱底，便于设备的搬运就位。

4.4.9 开箱工具有起钉器、撬杠、一字平口螺丝刀、活动扳手、榔头、裁纸刀、人字梯等。

4.4.10 操作用力过猛，会碰坏箱内设备或导致板上的铁钉划伤设备或人。纸箱开箱注意以下内容：查看纸箱标签，了解箱内零部件类型、数量；用斜口钳剪断打包带；用裁纸刀沿箱盖合缝处划开胶带，用刀时注意不要插入过深，避免划伤内部物品；打开纸箱，取出泡沫板；浏览零部件标签，查看数量是否与纸箱标签上注明数量相符，然后取出零部件。

4.4.11 除设备本体外壳外，其零部件也需检查外观，应无锈蚀、破损。

4.4.12 设备开箱应进行拍照，体现开箱过程。国外供货的设备，如通关时未进行商检，应告知海关、商检部门参加开箱验收。

4.5 设备安装

4.5.1 放线不能用一般机械设备采用弹墨线的方法，而采用贴标记的方法，目的是为了不污染工艺环境。第3款规定“设备不得跨越建筑结构抗震缝、伸缩缝及沉降缝”是为了防止因伸缩缝或沉降缝发生位移变化导致设备损坏。

4.5.4 太阳能电池生产设备如激光刻蚀机等精密设备在安装时是否采用良好的防微振措施，对它们的性能影响很大，是能否充分发挥设备所具特性的关键。条文仅就精密设备的防微振基础和重型设备的独立基础的制作、安装要求按近十几年的经验作出了基本的规定。

4.5.9 本条是针对扩散炉设备跨越壁板安装提出的。壁板开洞造成壁板被划伤不仅降低观感质量，更为重要的是会导致生锈、产尘，因此规定不得划伤壁板表面。不得污染板面是指经切割加工的板面不应留有粉尘、油腻等污染物，但设备在加工过程中难免受到污染，所以在搬入洁净室(区)前应清除干净，对油污可用长纤维擦布沾中性溶剂清除，不至于损伤表面。因间壁两侧房间的洁净度级别和压差都不同，对设备跨间壁安装后的密封提出要求，是为了不破坏房间的洁净度和压差；洁净室开孔，应当进行隔离，边开孔边使用吸尘器吸尘。

4.5.11 本条规定针对设备仪表、动力管线接口提出，这些部件一般突出设备本体，在安装设备过程中，容易造成碰撞损坏，尤其需要注意。

4.6 二次配管配线

4.6.1 各动力管线一次管道会预留支管阀门，二次配管由支管阀门接至设备。如支管阀门设置于吊顶上，设备前一般还会加设开关阀门，便于操作。

4.6.2 本条文规定二次配管配线的时间应在设备安装完成后进行，避免因工艺布局调整或设备水平、高度位置调整导致二次配管配线的更改。部分设备接口数量较多，应由设备厂家做好牢固、清晰的标识，便于核对，避免因接管错误导致的返工。

4.6.3 材料是二次配管配线施工质量的关键，本条说明如下：

1 工艺冷却水阀门宜采用不锈钢球阀或PVC给水球阀。与设备连接不得使用塑料软管，喉箍卡接；此方式在系统长时间运行后容易造成喉箍脱开，设备进水。管径小于等于 *DN*20，与设备连接软管宜采用特氟龙管、PFA 管，卡套连接；管径大于 *DN*20，宜采用非标定制的两端带活接金属软管，丝牙连接；以上软管使用压力均不能超过 1.0MPa。

3 温度计宜采用带保护套筒式，温度计破损时不必停水即可更换，避免对生产的影响。

4 EP 管道，Electro-Polished Pipe 电化学抛光的不锈钢管。经电化学抛光，使表层实际面积得到最大程度的减少，表面产生一层细密富含氧化铬的氧化膜。阀门用密封垫片应使用不锈钢垫片或镍垫片，不得将使用过的垫片再次使用，不得在同一密封面上使用两个或以上的垫片，不得将垫片及面密封部件端面划伤。垫片面密封是利用垫片的变形进行密封，拆除再次安装后不能保证接触面的密封效果。阀门箱内预留阀门处应安装堵头，防止送气时误操作，导致系统气体泄露。

太阳能电池生产工艺用到的大宗气体有压缩空气、氮气、氧气、氩气；特殊气体有 NF_3、SiH_4、NH_3、CF_4、Cl_2、He、HBr、SF_4、CH_2F_2 等种类。

5 氧气为强氧化剂，为了避免管道内油脂与氧气发生化学反应造成爆炸，特作本款规定。

6 太阳能电池生产会使用大量的氢氟酸、硫酸、盐酸、氢氧化钠，为保证安全生产，宜采用双层管。其中，内管 PFA 具有较强的抗酸碱腐蚀性，外管透明 PVC 管起到保护套管的作用，也便于检查内管泄漏位置。在管线底部或末端，一般设置检漏阀门。

7 排风管与设备连接应采用柔性软管和法兰连接，便于设备检修时拆装。柔性短管应选用表面光滑、不产尘、不透气、不产生静电和有稳定强度的难燃材料制作。柔性软管长度不得超过 2m。排风管法兰垫片应选用弹性好的闭孔材料，密封垫厚度宜为 5mm～8mm。法兰垫片应擦拭干净后涂胶粘牢在法兰上，不得拉伸，不得有隆起或虚脱现象。法兰均匀压紧后,密封垫内侧应与风管内壁齐平。北方地区室外排风管根据工艺排气性质必要时需设置保温。

不锈钢风管全部满焊接,或者咬口制作,安装时焊接,但咬口必须放到风管的上部,风管下部不允许有咬口接缝。

11～13 聚丙烯(PP)是常见塑料中较轻的一种,其电性能优异,可作为耐湿热高频绝缘材料应用。均聚物型和共聚物型的 PP 材料都具有优良的抗吸湿性、抗酸碱腐蚀性、抗溶解性。然而,它对芳香烃(如苯)溶剂、氯化烃(四氯化碳)等溶剂没有抵抗力。

PFA 是少量全氟丙基全氟乙烯基醚与四氟乙烯的共聚物。熔融黏结性增强,溶体黏度下降,而性能与聚四氟乙烯相比无变化。长期使用温度－80℃～260℃,有卓越的耐化学腐蚀性,对所有化学品都耐腐蚀,摩擦系数在塑料中最低,还有很好的电性能,其电绝缘性不受温度影响。由于材质偏软,一般用于设备内连接。

PVDF(聚偏氟乙烯)外观为半透明或白色粉体或颗粒,分子链间排列紧密,又有较强的氢键,含氧指数为 46％,不燃,结晶度 65％～78％,密度为 $1.17g/cm^3$～$1.79g/cm^3$,熔点为 172℃,热变形温度 112℃～145℃,长期使用温度为－40℃～150℃。PVDF 树脂主要是指偏氟乙烯均聚物或者偏氟乙烯与其他少量含氟乙烯基单体的共聚物,PVDF 树脂兼具氟树脂和通用树脂的特性,除具有良好的耐化学腐蚀性、耐高温性、耐氧化性、耐候性、耐射线辐射性能外,还具有压电性、介电性、热电性等特殊性能。

PVC(PolyVinylChloride 聚氯乙烯),密度为 $1.4g/cm^3$ 左右。PVC 成型收缩率为 0.6％～1.5％,具有较好的力学性能,其电性能优良,并具有自熄性,耐酸碱力极强,化学稳定性好,价格低廉,是一种应用非常广泛的通用塑料。

以上材质在水中溶析度非常低,能充分保证纯水的水质,适宜用作纯水系统输送管材。18MΩ·cm 及以上的超纯水管道,宜采用PVDF热熔焊接的连接方式。管道连接应采用管材厂家配套专用焊机熔接，并经过厂家技术人员专业培训后进行施工，施工过程中应按照焊接操作说明进行操作。

14 本款规定是考虑到PVC管道在输送介质高于55℃时会加速老化，管道使用年限大大降低，极易造成接头漏水。槽式扩散前清洗机会排除大量酸碱废水，温度在70℃左右，宜采用PP管道。表面制绒机排水温度为20℃左右，可采用PVC管道。

15 硅烷和氨气调试时需要保证所有传感器侦测器运行正常，需要增加紧急方案，对人员培训，并保证吹扫时间足够。当末端接有工艺设备时，最后一道吹扫应当通过工艺设备。当末端没有工艺设备时，最后一道吹扫从VMB吹向硅烷燃烧塔。

4.6.4 丝网印刷机、PECVD设备需要进行压缩空气、工艺冷却水、电气等配管配线，宜采用共用支架，固定吊顶至设备间的管线，达到布置整齐、美观，便于检修的目的。二次配管前先通过专业绘图软件进行动力管线空间管理，画出共用支架位置，然后进行现场定位安装。

4.6.7 本条中的专用设备有：平口机、自动焊机、不锈钢带锯、专用倒角器等。洁净室内管路切割应采用割刀或者GF锯，不得采用磨光机切割管材。

4.6.8 焊接用气体可以加装可调节流量计显示气体流量，内保护气可以装压力计监测管内压力，这两条措施能够保证焊接质量。

4.6.9 设备接口外径与系统管道口径不同时，如设备接口为英制而系统管道采用的为公制，不得强行对焊，应采用机加工定制配件进行转换。

4.6.10 PVC管道粘接是二次配管质量控制的关键工序，故作以下说明：

1 PVC胶水为腐蚀剂，胶水与管材表面层发生化学反应后粘接牢固。如采用与管材不配套的胶水，接口处容易发生脱胶、严重腐蚀减薄的隐患。

2 本条规定5℃以下天气胶水应保存在室内，目的是防止胶水凝固、失效，导致粘接时不能涂刷均匀，粘接部位不能达到原有强度。

3 本条规定目的是加快胶水凝固。接好后管路如封闭，胶水会侵蚀管壁，影响粘接强度。

4 管路粘接后，一般在24h以后通水试压，具体参照胶水使用说明书。

4.6.11 洁净小室一般选择由临时不用的车间改造或者新建临时设施。新建洁净小室一般采用镀锌或者不锈钢型钢做支撑骨架，硬质塑料膜或临时彩钢板做维护结构。不得采用易产尘的彩条布做维护结构。搭设高度一般为2.5m，长宽根据摆放机具以及加工管段长度而定。房间顶棚布置FFU，并保证照明充足。

4.6.12 为防止不锈钢管被渗碳，在不锈钢管与碳钢支架、管卡之间应分别设置隔离垫和隔离套管。塑料管与支架、管卡接触处均应垫胶皮、套塑料管隔离，防止外表面被划伤。

4.6.13 本条的详细要求尚应符合现行国家标准《工业管道的基本识别色、识别符号和安全标识》GB 7231 的有关规定。

4.6.14 本条对二次配管的压力试验作出规定，说明如下：

1 考虑到气压试验有爆炸的危险，所以规定实验气体采用高纯氮气或高纯氩气。

2 根据太阳能电池厂房的禁水要求和管内无杂质的要求，压力试验、气密性试验和泄漏性试验的试验介质应为高纯惰性气体，不得采用水压试验。

5 考虑到太阳能电池厂房的封闭性及危险性、腐蚀性气体和化学品对人员及设备的潜在风险，且二次配管的管路中有焊缝或其他连接接头，因此对有危险性及腐蚀性介质的管道必须进行压力试验，检验焊缝及接头的密封性，以防止密封不良导致危险性、腐蚀性气体和化学品泄漏的安全事故。本款为强制性条文，必须严格执行。

6 配管的强度试验检查管道的承压能力,气密性试验检查管道的密封性能。管道的承压能力和密封性能决定其输送介质的安全性能,所以试验时应严格按照规定的试验压力和保压时间进行。本款为强制性条文,必须严格执行。

7 硬质 PFA 等树脂类管道,低温时遇高压易发生脆性结构损伤,严禁在低温环境下进行压力试验,由于实验时净化间一般未正常运转,室内温度有时达不到安全使用温度,因此试验者应特别注意。而且短时的低温下试验结果可能是合格的,但会造成硬质 PFA 等树脂类管道结构性破坏隐患,在后期管道正式运转后可能产生突发性泄漏,造成严重的安全生产事故。本款为强制性条文,必须严格执行。

4.6.18 本条规定目的是去除管壁附着的粉尘、含湿气体,以及对管路系统进行干燥。常用的吹扫方式为连续吹扫式和间断吹扫式,采用一种方式或两种方式并用;吹扫流速应在 20m/s 以上。吹扫口不得直接对准人和设备。当用洁净白纱布遮挡住吹扫口时,观察白纱布上无污物、颗粒即为合格。

5 设备试运行

5.1 设备试运行前的准备

5.1.1 本条列出太阳能生产设备单机试运行应具备的环境、动力、安全设施等必备条件，只有这些条件均具备方可进行单机试运转。

5.1.2 安全性测试是设备试运行的关键工序，故作如下说明：

1 绝缘电阻测试：设备的电源输入端与机壳之间（电源开关置于接通位置）用绝缘电阻测试仪500V直流电压，稳定10s，有绝缘要求的外部带电端子与机壳之间的绝缘电阻在正常大气条件下应不小于100MΩ，在潮湿环境条件下应不小于2MΩ。

2 耐压测试：除使用低压元、器件的电子、电气电路或另有规定外，设备电源输入端子与机壳之间（电源开关置于接通位置）、有绝缘要求的外部带电端子与机壳之间，以及其他有绝缘要求的载流电路与机壳之间应有足够的绝缘抗电强度。设备抗电强度应符合现行国家标准《测量控制和试验室用电器设备的安全要求》GB 4793.1的规定。试验时，不应发生击穿、飞弧和闪烁等现象。

3 泄漏电流测试：设备工作期间，其金属外壳（包括外壳上的金属构件）与地之间的开路电压超过规定的安全限值（36V）时，应测量外壳与地之间的泄漏电流。

5.1.3 设备不应产生有损于人员听力和心力的强噪声。对于限制噪声以避免对器件生产产生影响的设备，噪声测试按产品规范或合同的具体要求进行。声级计用A声级、慢速档，然后计算平均值。

5.2 设备试运行

5.2.2 根据太阳能电池生产设备需要，选择380V或220V交流电源供电。设备应具有良好的电源适应性，以保证设备在电源电压或频率变化时能正常工作。若无其他规定，当电源电压在额定值的 90%～110%、电源频率在额定值的 95%～105%范围内变化时，设备变化时，设备应满足规定的性能指标要求；当电源电压为额定值的 80%时，设备应能工作（性能指标允许下降到规定值）；当输入电压为额定值的 115%时，设备不应损坏。

设计太阳能电池生产设备时应尽量提高设备效率、降低功耗。对于所使用的工作气体应做到充分利用，气源管路精简、气流畅通、密封良好、保证整个系统稳定高效地运行。具体要求在产品规范中规定。

6 工程验收

6.2 验收内容

6.2.1 太阳能电池生产设备安装工程交接验收是安装单位按本规范要求将质量合格的工程移交给建设单位的过程。提出建设单位应及时组织验收组，核实安装单位提交的安装工程交接验收报告的符合性。

6.2.3 规定了施工单位应向建设单位提交的技术资料，当有两个以上施工单位分别承担设备安装及二次管线安装时，由各施工单位提交其施工范围的相关技术资料。

6.2.4、6.2.5 这两条提出生产设备安装工程质量主控项目和一般项目的质量要求和检验方法，在办理交接验收时无需对所列检查项目进行逐项检查。施工单位按此要求，在施工过程中应做工序质量检查并应做好质量记录。交接验收时以查看检查记录为主，当有必要抽验时，或怀疑记录的真实性时，应用相同的检查方法对怀疑项目进行复查。交接验收实际上就是生产设备安装施工结束办理交接手续。

6.3 验收程序

6.3.2 对于分为二阶段验收的竣工项目，设备调试单位应提供设备试运转记录。采取一阶段验收的竣工项目，施工单位除应提供设备试运转记录外，还应提供本规范第5.2.3条规定的资料。

6.4 验收不合格的处置

6.4.2 验收可让步接受的情况，如在搬运设备时发生设备面漆碰掉的情况。